Cinzia Cordera Alberti

# Chiaro!

corso di italiano

## Esercizi supplementari



A1

ALMA Edizioni

Accedi gratuitamente all'**area web** di ***Chiaro!*** con test, esercizi interattivi, glossari, attività extra, giochi e molto altro ancora.

*Chiaro! A1, Esercizi supplementari*

**Autrice:** Cinzia Cordera Alberti

**Redazione:** Anna Colella, Carlo Guastalla, Euridice Orlandino, Chiara Sandri

**Progetto copertina:** Lucia Cesarone

**Illustrazioni interne:** Virginia Azañedo

**Progetto grafico:** Büro Sieveking

**Impaginazione:** Andrea Caponecchia

Printed in Italy
ISBN 978-88-6182-144-6


Ultima ristampa: febbraio 2015



**Alma Edizioni**
Via dei Cadorna, 44
50129 Firenze
Tel. +39 055 476644
Fax +39 055 473531
alma@almaedizioni.it
www.almaedizioni.it

# Introduzione

Questo volume di esercizi supplementari si rivolge a tutti gli studenti che utilizzano e desiderano praticare i contenuti del corso di italiano ***Chiaro! A1***.

Le 10 lezioni qui presentate seguono di pari passo la progressione di quelle del manuale. Scopo del volume è consolidare le strutture, le abilità comunicative e il lessico appresi nel corso della corrispondente lezione di ***Chiaro! A1***.

Allegato al libro, il CD audio contiene una selezione dei dialoghi presenti in ***Chiaro! A1***, qui disponibili in versione leggermente decelerata per consentire agli studenti di esercitare ulteriormente la loro abilità di comprensione e produzione orale e la loro pronuncia. Le attività relative ai dialoghi si trovano nella sezione *Ancora più ascolto*. Per indicazioni dettagliate su come lavorare con i brani audio, si consiglia la lettura di *Ancora più ascolto* - Istruzioni per l'uso.

Gli esercizi supplementari, di tipologia estremamente varia, sono pensati soprattutto per il lavoro individuale a casa. Le soluzioni sono riportate in appendice.

Si consiglia di svolgere gli esercizi di una data lezione solo dopo aver svolto quelli della corrispondente lezione del manuale. Se alcune attività dovessero risultare particolarmente difficili, invitiamo gli studenti a rivedere quel dato argomento grammaticale o lessicale in ***Chiaro! A1***.

Buon lavoro,

l'autrice e l'editore

# *Ancora più ascolto* - Istruzioni per l'uso

Questa sezione contiene attività di ascolto, scrittura e pronuncia. Per poterle svolgere è necessario l'utilizzo del CD audio allegato al presente volume.

La fascetta CD ▶ 01 indica il numero del dialogo da ascoltare per poter svolgere l'attività. Per permettere agli studenti di esercitare più agevolmente la loro abilità di comprensione, i brani sono stati registrati in versione leggermente decelerata rispetto a quelli presenti nel manuale.

Le attività di questa sezione sono strutturate nel seguente modo:

**Fase 1**

- Lo studente svolge un compito scritto durante l'ascolto di un dialogo, per esempio: completamento di un testo, riordino delle frasi che compongono la conversazione, scelta multipla, ecc. Si consiglia di ascoltare il brano finché lo si ritiene necessario, fino a completo svolgimento dell'attività.
- Lo studente verifica la correttezza delle risposte fornite grazie alle soluzioni presenti in appendice.

**Fase 2**

- Lo studente è invitato a ripetere tutte o parte delle battute che compongono il dialogo sul quale ha appena lavorato, o a riascoltare attentamente il brano senza leggerne la trascrizione.
- Lo studente ripete l'attività fino a padroneggiare il testo orale.

# Indice

# Studio l'italiano!

**1** *Chi parla?*

*Associa le frasi alle persone.*

1 Avete capito?
2 Lo può/puoi scrivere alla lavagna?
3 Quale esercizio dobbiamo fare?
4 Possiamo ascoltare il CD un'altra volta?
5 Aprite il libro a pagina...

**a** Insegnante
**b** Studente/Studentessa

**2** *Riordina le parole e forma delle frasi.*

1 Paolo. sono Ciao, io

______________________________

2 insegnante. Buonasera, sono vostra la

______________________________

3 come E ti chiami? tu

______________________________

4 Carla. chiamo Anch'io mi

______________________________

5 libero qui? Buongiorno, è

______________________________

6 dov'è? Lei, signora, di

______________________________

7 di Roma. Francesca, Lei è collega una

______________________________

**3** *Associa i saluti alle immagini corrispondenti.*

**a** Buonanotte, Paolo!
**b** Buongiorno, signora Marchesi!
**c** Ciao, Giovanni!
**d** Buonasera, signor Rossi!

1

2

3

4

**4** *Completa le frasi con gli aggettivi di nazionalità.*

1 Il collega è di Parigi:
è ____________.

2 La collega è di Madrid:
è ____________.

3 La signora è di San Gimignano:
è ____________.

4 Lui è di Berlino. È ____________.

5 Lei è di Londra. È ____________.

6 Lui è di Istanbul. È ____________.

# ANCORA PIÙ ASCOLTO

CD ▸ 01 **5** **a** *Ascolta più volte e completa il dialogo.*
*Ogni simbolo "_" corrisponde a una lettera.*

1 ○ _ _ _ _.
■ Ciao, _ _ sono Paolo. E _ _ come _ _ chiami?
○ Io sono Francesca.

2 ■ ___________. È _______ qui?

○ Sì, prego!

■ _______. Mi chiamo _______ Monfalco.

○ ________, Nicola Bruni.

3 ■ __________, sono la vostra ___________.

Mi chiamo Carla. Lei ____ si chiama?

○ _____'__ mi chiamo Carla. Carla _______.

■ Ah, piacere. Carla Codevilla.

02

**b** *Riascolta attentamente e ripeti le frasi. Concentrati sulla melodia e l'intonazione della frase.*

**6** *Scrivi le lettere dell'alfabeto nel cruciverba, come nell'esempio.*

**orizzontali**

1 d
2 k
5 c
6 j
7 s
10 m

**verticali**

1 w
3 h
4 q
6 x
8 r
9 z

**7** *Scrivi le domande corrispondenti alle risposte.*

1 ______________________? A pagina 15.

2 ______________________? Si scrive: esse - a - enne - ci - acca - e - zeta.

3 ______________________? Mi chiamo Anna.

4 ______________________? Sono di Milano.

5 ______________________? Sì, prego, è libero.

**8** *Scrivi il risultato delle operazioni, come nell'esempio.*

1 uno + 3 → quattro + 3 → ________ + 3 → ________

2 venti - 2 → ________ - 2 → ________ - 2 → ________

3 dieci - 1 → ________ - 1 → ________ - 1 → ________

4 sette + 4 → ________ + 4 → ________ + 4 → ________

5 due + 1 → ________ + 2 → ________ + 3 → ________

6 undici + 1 → ________ + 1 → ________ + 4 → ________

**9** *Trasforma le domande.*

| informale | formale |
|---|---|
| 1 Come ti chiami? | ______________________ |
| 2 Che numero hai? | ______________________ |
| 3 Di dove sei? | ______________________ |
| 4 Sei italiano? | ______________________ |
| 5 Sei la collega inglese? | ______________________ |

## 10 *Completa il cruciverba.*

**orizzontali**

6 La forma femminile di *signore*.
7 Mi chiamo Cristina.
  Sono..., di Bellinzona.
8 Lei è Francesca. – ...!

**verticali**

1 Scrivi il numero 19 a lettere.
2 Cosa si dice per salutare la sera?
3 Una persona che insegna l'italiano.
4 Ciao, come ti...?
5 U con i...

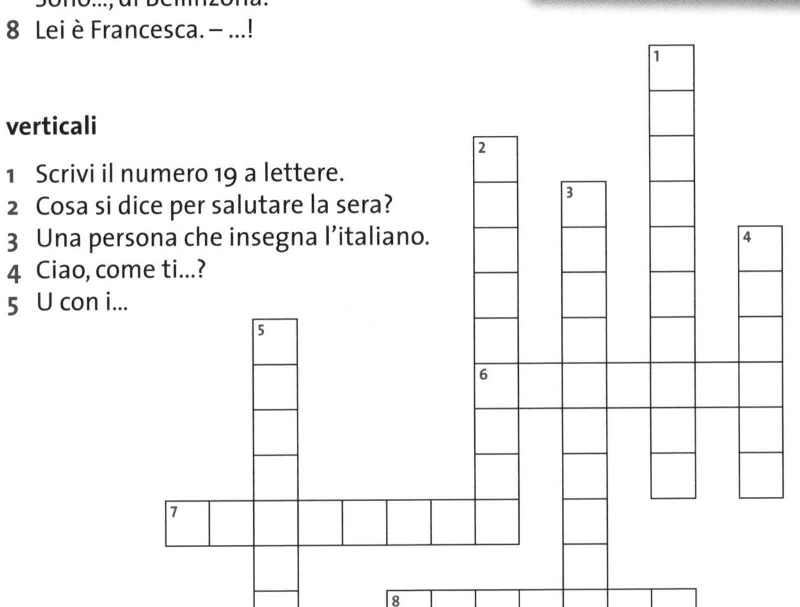

## 11 *Completa le frasi con le parole della lista.*

di | qui | si | di | che | mi

1 La signora _____ chiama Paola Bruni. È una collega spagnola, _____ Madrid.

2 _____ cosa significa «pagina»?

3 È libero _____ ? – Sì, prego!

4 Buongiorno, sono Anna, la vostra insegnante _____ italiano.

5 Come ti chiami? – _____ chiamo Francesca.

# ANCORA PIÙ ASCOLTO

CD▶03 **12**

**a** *Ascolta più volte e completa il dialogo.*
*Ogni simbolo "_" corrisponde a una lettera.*

1 ● ◆ Ciao, Paolo!

■ Oh, ciao! Eh... lei _ Francesca, una _ _ _ _ _ _ _ _ di Bellinzona. Francesca... Marina...

● Piacere!

○ Ciao!

■ E _ _ _ è _ _ _ _ _ _ _ _ _.

◆ Ciao!

○ Piacere.

◆ _ _ _ _ _ _ _ tu sei _ _ _ _ _ _ _ _ _ _.

○ Eh sì! E tu, _ _ _ _ _ _ _, di _ _ _ _ sei?

◆ Sono _ _ San _ _ _ _ _ _ _ _ _ _ _.

2 ● Oh, buongiorno, _ _ _ _ _ _ _ Bruni!

■ Buongiorno! _ _ _ _ _ _ _ _ _ Monfalco... il signor Klum, _ _ collega di _ _ _ _ _ _ _.

○ Molto _ _ _ _ _ _.

● Piacere. E Lei, signora, di _ _ _ ' _ ?

○ Di _ _ _ _ _ _ _ _.

CD▶04

**b** *Riascolta attentamente e ripeti le frasi.*
*Concentrati sulla melodia e l'intonazione della frase.*

1

# Incontri

## 1

*Trasforma il dialogo tra la signora Rita Gela e Paolo Luzi.*

| formale | informale |
| --- | --- |
| 1 ● Signora Gela, buongiorno! | ___ |
| ■ Buongiorno! Come sta? | ___ |
| ● Bene, grazie. E Lei? | ___ |
| ■ Eh, non c'è male. | ___ |
| 2 ● Buongiorno, signora, come va? | ___ |
| ■ Benissimo, grazie. E Lei? | ___ |
| ● Anch'io bene, grazie. | ___ |

## 2

*Completa il cruciverba sulle professioni.*

**orizzontali**

5 femminile di *segretario*
6 maschile di *giornalista*
7 maschile di *commessa*
8 femminile di *pensionato*

**verticali**

1 femminile di *operaio*
2 maschile di *impiegata*
3 sinonimo di *dottore* e *dottoressa*
4 femminile di *rappresentante*

2

**3** *Completa i dialoghi con le parole mancanti.*

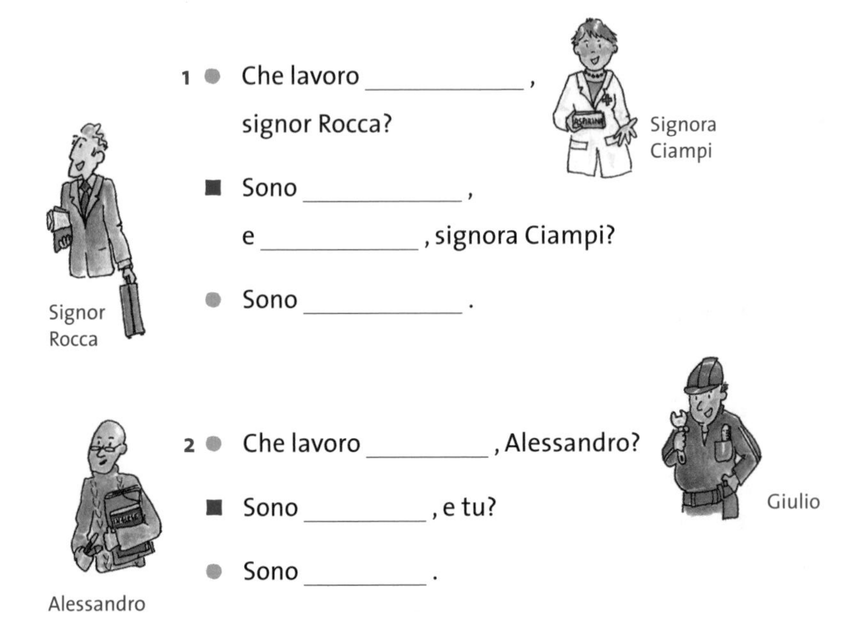


1 ● Che lavoro ____________,
signor Rocca?
■ Sono ____________,
e ____________, signora Ciampi?
● Sono ____________.

2 ● Che lavoro __________, Alessandro?
■ Sono __________, e tu?
● Sono __________.

**4** *Usa le informazioni della scheda e scrivi un piccolo testo su Michela.*

| | | | |
|---|---|---|---|
| Nome: | Michela | Cognome: | Accinni |
| Città: | Venezia | Professione: | casalinga |
| Lingue: | inglese, francese, spagnolo | | |

Si chiama ________________________________________

________________________________________

**5** *Completa il cruciverba con i verbi coniugati.*

**orizzontali**

1 viaggiare, lei
4 lavorare, loro
5 parlare, loro
6 parlare, lui
7 abitare, tu

**verticali**

2 abitare, io
3 parlare, noi
4 lavorare, voi

2

**6** *Completa il testo con le parole della lista.*

per | un po' | a (3) | ho | lo | tedesca
mi | viaggio | in (2) | l'italiano

__________ chiamo Christine, __________ 27 anni,
sono __________, di Amburgo. Abito __________ Berlino, ma
__________ molto per lavoro. Lavoro anche __________ Italia,
__________ Milano e __________ Gran Bretagna, __________
Londra. Sono giornalista. Parlo l'inglese, il francese, __________
e __________ spagnolo, ma __________ lavoro uso l'inglese
e __________ l'italiano.

**7** *Associa ogni domanda alla risposta corrispondente.*

1 Lei fa l'impiegata?
2 Sei a Genova per lavoro?
3 Signora, è di Madrid?
4 Anna e Stefano parlano lo svedese?
5 Studia l'italiano per amore?
6 Paola è pensionata?

a No, perché ho un'amica italiana.
b No, è casalinga.
c No, abito a Genova per motivi familiari.
d No, sono insegnante.
e No, studiano l'inglese e il francese.
f No, non sono spagnola, sono italiana.

**8** *Scrivi il risultato delle operazioni in lettere.*

1 ventuno + trentasei = ______________________
2 settantatré – otto = ______________________
3 quaranta + sedici = ______________________
4 trentasette – tredici = ______________________
5 cinquantotto + ventidue = ______________________
6 sessantacinque – quarantaquattro = ______________________
7 ottantanove + dieci = ______________________

**9** *Completa con gli articoli determinativi e indeterminativi, come negli esempi.*

| | |
|---|---|
| la / una professione | lo / _____ svedese |
| _____ / _____ numero | _____ / _____ casa |
| _____ / _____ impiegata | _____ / _____ pensionato |
| _____ / _____ lavoro | _____ / un' insegnante |
| _____ / _____ spagnolo | _____ / _____ scambio |
| _____ / un inglese | _____ / _____ amico |

**10** *Forma le frasi e inserisci la negazione, come nell'esempio.*

1 Mara / abitare / a Savona   Mara non abita a Savona.
2 io / viaggiare molto / per lavoro   ________________
3 Carla / lavorare / in Austria   ________________
4 Carlo e Stefania / studiare / lingue   ________________
5 noi / essere / di origine francese   ________________
6 io / parlare / l'olandese   ________________

**11** *Riordina le parole e forma delle frasi.*
*Poi inserisci le frasi nell'intervista.*

perfezionare il italiano. desidero mio

________________________________

amica Parigi. ho un' di

________________________________

spagnolo lavoro? usa lo per

________________________________

perché in abito parlo l'italiano Italia.

________________________________

■ Buongiorno, signor Santacroce. Lei è italiano?
● No, sono argentino, ma ________________ .
■ Dove abita?
● Abito a Roma.
■ Che lavoro fa?
● Sono impiegato.
■ ________________
● No, per lavoro uso l'italiano.
■ Parla anche l'inglese?
● Così così.
■ E Lei, signora Santacroce?
▶ Io sono di origine italiana, ma ________________ .
■ Non usa l'italiano per lavoro?
▶ Sì, ma sono commessa e uso anche l'inglese, lo spagnolo e un po' il francese. Parlo il francese, perché ________________ .

# ANCORA PIÙ ASCOLTO

CD▸05 **12**

**a** *Ascolta più volte e completa il dialogo.*
*Ogni simbolo "_" corrisponde a una lettera.*

- ● E voi dove _ _ _ _ _ _ _ _ _? A Genova?
- ■ _ _, _ _ _ _ _ _ _ _ _ _ _ _ a Genova, ma abitiamo a Santa _ _ _ _ _ _ _ _ _ _ _ _ _ Ligure. E Lei, _ _ _ _ _  _ _ _ _ _ _?
- ● Io abito _ lavoro _ Genova.
- ▸ Ah, e che lavoro fa?
- ● _ _ _ _  _ _ _ _ _ _ _ _ _ _ _ _ _ _ _ _.
- ▸ Ah, allora _ _ _ _ _ _ _ _ _  _ _ _ _ _ _ per lavoro.
- ● Sì, lavoro _ _ _ _ _ _ in _ _ _ _ _ _ _ _ _ _, in Austria, e un po' in Spagna.
- ■ Ah, _ _ _ _ _ _ _ _ _ _ _ _ _ _ _ _ _! E parla _ _  _ _ _ _ _ _ _ _?
- ● No, non parlo il tedesco, _ _ _ _ _ _  _ _ _  _ _ _  _ _ spagnolo. Ma per _ _ _ _ _ _ _ uso l'inglese. Ma... _ _ _ ci siamo ancora presentati, sono _ _ _ _ _ _ Ghini.
- ▸ Piacere, Alice Rossetti.
- ■ E io sono Luca Rossetti.

CD▸05

**b** *Riascolta il dialogo a occhi chiusi. Capisci tutte le frasi?*
*Riascolta altre volte se è necessario, sempre a occhi chiusi.*

# Un caffè, per favore!

**1** *Completa il cruciverba.*

**orizzontali**

2 

4 acqua....
6 ....d'arancia
7 ....macchiato

**verticali**

1   3 5 

**2** *Riordina il dialogo al bar.*

1 Tu che cosa prendi?
2 Oggi offro io!
3 Quant'è?
4 Ecco a Lei.
5 Il macchiato, caldo o freddo?

a Caldo.
b Oh, grazie!
c Grazie. Ecco lo scontrino.
d 5 euro.
e Un cappuccino e un cornetto, per favore.

**3** *Inserisci le parole della lista sotto l'articolo corrispondente.*

caffè | cappuccino | spumante | panino | tè | piadina
toast | spremuta d'arancia | aranciata | vino | birra
aperitivo | amaro | acqua minerale | tramezzino | latte

| il | lo | la | l' |
|---|---|---|---|
| | | | |

**4** *Forma il maggior numero possibile di frasi con un elemento di ogni casella.*

| | | |
|---|---|---|
| Oggi<br>Che cosa<br>La prossima volta | offro<br>offri<br>offre<br>prendo<br>prendi<br>prende | io<br>Paola<br>signora Sala<br>tu<br>un panino e un caffè<br>un toast e una birra |

______________________________

______________________________

______________________________

______________________________

______________________________

**5** *Cerca la parola intrusa.*

1 caffè – cappuccino – acqua minerale – cioccolata

2 cornetto – panino – piadina – tramezzino

3 birra – amaro – aranciata – vino

# ANCORA PIÙ ASCOLTO

▶06 **6** **a** *Riordina le frasi della colonna sinistra.*

| | | |
|---|---|---|
| | ■ | Buongiorno. |
| | ●▶ | Buongiorno. |
| | ■ | Prego! |
| che io! Tu prendi? cosa offro Oggi | ● | ______________ |
| Ehm... Un grazie! per favore. | ▶ | ______________ |
| cappuccino e Oh, un cornetto, | | ______________ |
| per caffè... me un macchiato. E | ● | ______________ |
| La però... volta, prossima | ▶ | ______________ |
| La bene. prossima offri tu, volta va | ● | ______________ |
| Il freddo? macchiato, o caldo | ■ | ______________ |
| | ● | Caldo. |
| il macchiato. Allora, con il cornetto ... | ■ | ______________ |
| ecco il cappuccino e questo è | | ______________ |
| pagare Vorrei subito. Quant'è? | ● | ______________ |
| | ■ | 3 euro. |
| | ● | Ecco a Lei. |
| | ■ | Grazie. Ecco lo scontrino. |

▶07 **b** *Riascolta attentamente e ripeti le frasi. Concentrati sull'intonazione.*

3

## 7 *Completa le frasi con le parole della lista. Attenzione: sono possibili diverse soluzioni.*

calda | decaffeinato | fredda | grande | piccola
analcolico | frizzante | dolce | naturale | amaro

1 Bevi un caffè? – Sì, ma ______________ .
2 Un'acqua ______________ , per favore.
3 La signora prende una piadina ______________ .
4 Non prendo il tè, ma una cioccolata ______________ e un aperitivo ______________ .

## 8 *Completa con gli articoli determinativi e/o le desinenze dei sostantivi.*

| | | |
|---|---|---|
| _____ giovane | → | _____ giovan___ |
| _____ italian___ | → | _____ italiani |
| _____ aranciata | → | le aranciat___ |
| _____ ragazz___ | → | _____ ragazze |
| _____ aperitivo | → | gli aperitiv___ |
| _____ yogurt | → | _____ yogurt |
| _____ caffè | → | i caff___ |
| _____ spumante | → | gli spumant___ |

**9** *Riordina le parole e forma delle frasi.*

1 mangi cosa Che colazione? a

______________________________

2 marmellata. Mangio e burro biscottate con fette

______________________________

3 cereali. io lo preferisco yogurt con i

______________________________

4 caffè Carla amaro. solo beve un colazione A

______________________________

5 Mangiamo niente. ma piadina beviamo una calda, non

______________________________

6 panna? il preferisce senza cono o con

______________________________

7 pagare Quant'è? subito. Vorrei

______________________________



**10** *Trasforma le domande, come nell'esempio.*

| | informale | formale |
|---|---|---|
| 1 | Tu che cosa prendi? | Lei che cosa prende? |
| 2 | Preferisci un panino o una pizzetta? | |
| 3 | Bevi un aperitivo? | |
| 4 | Non mangi niente? | |
| 5 | Fai colazione al bar? | |

**11** *Forma 14 nomi di alimenti con le parti di parole sotto.*
*Poi cerchia i nomi degli alimenti che non sono nel disegno.*

fet   bi   focac

scotti   cia

te   te biscottate

bur

marmel

mie   va

le   lata

reali   cor   vo   pancet

ce   netto

ne   è   ro   gurt

ta

pa   t   yo   lat

**12** *Completa il cruciverba con i verbi coniugati.*

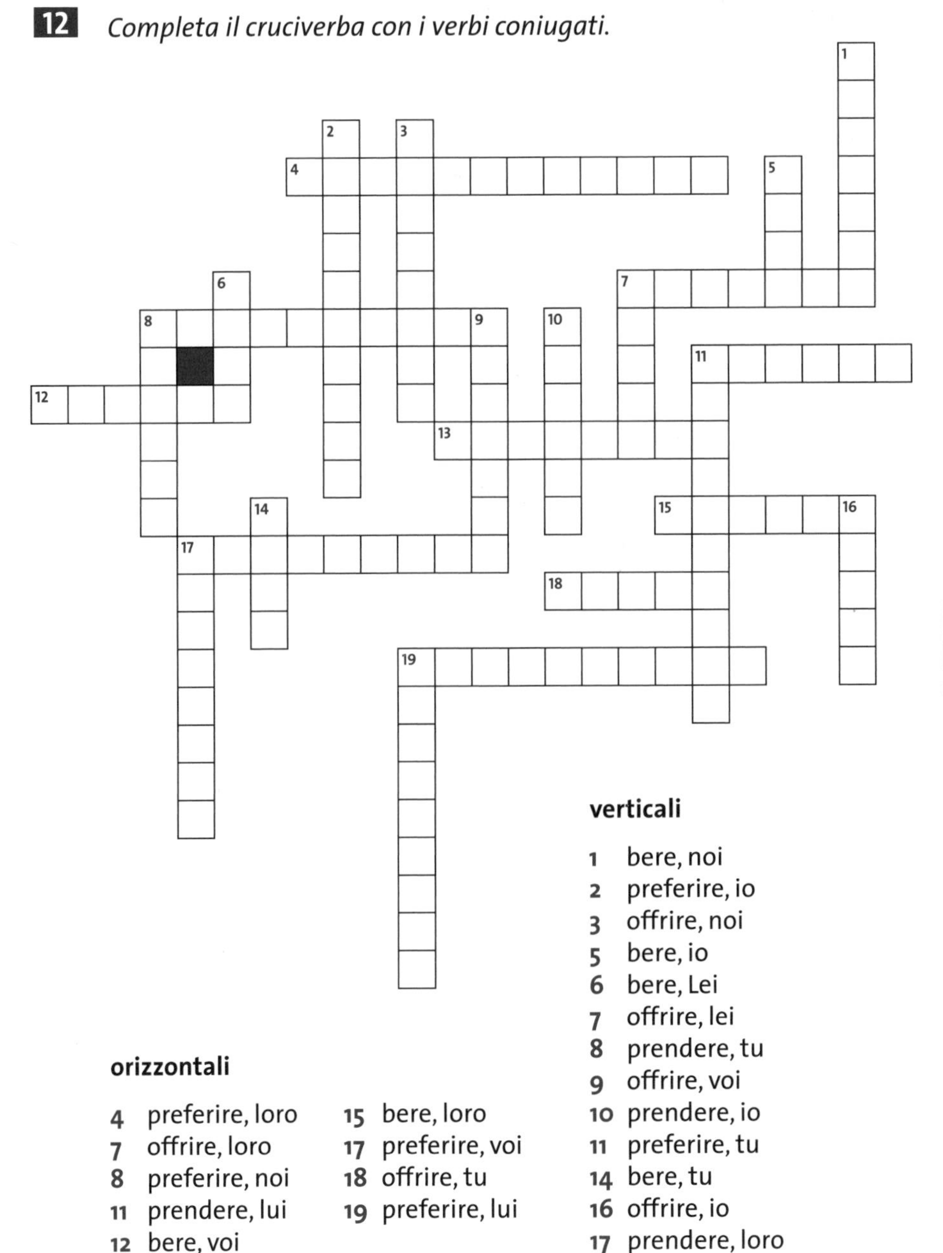


**orizzontali**

4 preferire, loro
7 offrire, loro
8 preferire, noi
11 prendere, lui
12 bere, voi
13 prendere, voi
15 bere, loro
17 preferire, voi
18 offrire, tu
19 preferire, lui

**verticali**

1 bere, noi
2 preferire, io
3 offrire, noi
5 bere, io
6 bere, Lei
7 offrire, lei
8 prendere, tu
9 offrire, voi
10 prendere, io
11 preferire, tu
14 bere, tu
16 offrire, io
17 prendere, loro
19 prendere, noi

# ANCORA PIÙ ASCOLTO

CD▸08 **13**

**a** *Ascolta più volte e completa il dialogo.*
*Ogni simbolo "_" corrisponde a una lettera.*

■ Buongiorno. _ _  _ _ _ _.

● Buongiorno. Allora: due _ _ _ _ _, due _ _ _ _ _ _ _ _ d'_ _ _ _ _ _ _, due tramezzini, una _ _ _ _ _  _ _ _ _ _ _ _, _ _ toast e due coni.

■ I coni con o _ _ _ _ _  _ _ _ _ _?

● Mm... Con la panna.

■ Allora _ _ _ _  _ _ _ _ _ _ _ _ _ _ _ euro e _ _ _ _ _ _ _.

● _ _ _ _  _  _ _ _.

■ Grazie. Eh, scusi... _ _  _ _ _ _ _ _ _ _ _!

● Ah... Grazie!

CD▸09

**b** *Riascolta il dialogo e pronuncia le battute del cliente.*
*Ripeti l'attività alcune volte.*

# Tutti i santi giorni

**1** *Trova gli orari nascosti nella griglia in orizzontale (da destra verso sinistra e viceversa). Poi scrivi gli orari in cifre sulle righe sotto.*

| X | B | N | G | R | S | A | T | N | A | R | A | U | Q | E | E | T | T | E | S |
|---|---|---|---|---|---|---|---|---|---|---|---|---|---|---|---|---|---|---|---|
| V | E | N | T | I | E | Q | U | I | N | D | I | C | I | E | S | B | E | Z | Y |
| P | C | T | C | C | C | O | M | W | G | Z | V | E | X | U | O | T | U | K | V |
| U | M | F | C | B | S | S | O | H | J | W | P | T | Q | G | H | H | C | R | R |
| S | E | D | I | C | I | E | V | E | N | T | I | C | I | N | Q | U | E | J | O |
| S | R | J | S | O | T | T | O | M | E | N | O | U | N | Q | U | A | R | T | O |
| M | E | Z | Z | O | G | I | O | R | N | O | B | S | L | F | J | H | H | F | I |
| C | F | P | T | C | R | E | A | T | N | E | R | T | E | I | C | I | D | N | U |
| H | Y | W | M | B | X | O | F | S | M | H | W | S | Y | S | K | V | O | H | N |
| I | T | R | A | U | Q | E | R | T | E | O | R | T | T | A | U | Q | W | J | F |

**2** *Associa le azioni della lista agli orari.*
*Attenzione: devi coniugare i verbi alla forma appropriata.*

cominciare a lavorare | fare colazione con caffè e biscotti
andare a dormire | preparare la cena o andare in un locale
svegliarsi e alzarsi | fare una pausa e bere un cappuccino
andare in ufficio | mangiare in un bar | guardare la tv
finire di lavorare

Maurizio e Lucia...

1 ______________________ alle sei.
2 ______________________ alle sette meno un quarto.
3 ______________________ alle sette e trenta.
4 ______________________ alle otto.
5 ______________________ alle dieci.
6 ______________________ alle tredici.
7 ______________________ alle diciassette.
8 ______________________ alle diciannove.
9 ______________________ alle ventuno.
10 ______________________ alle ventitré.

**3** *Completa il cruciverba con le espressioni di tempo.*

**orizzontali**

4 Le 12:00.
5 Il giorno prima della domenica.
6 Tra martedì e giovedì.
9 Il 4° giorno della settimana.
10 Inizia il fine settimana.
11 Il contrario di *tardi*.

**verticali**

1 Da mezzanotte all'alba.
2 L'ultimo giorno della settimana.
3 Tra lunedì e mercoledì.
7 Inizia la settimana.
8 Il contrario del numero 1 verticale.

4

**4** *Riordina le parole e forma delle frasi.*

1 sempre, domenica? Lavori anche sabato e il la

________________________________________

2 solito? ora A di lavorare vai a che

________________________________________

3 sei. sveglio verso La mattina spesso mi le

________________________________________

4 domenica. la va Marta anche volta ufficio in qualche

________________________________________

5 sera guardo tv. La non mai la

________________________________________

6 Lucia dal venerdì lavora 18.30. al lunedì alle 9.30 dalle

________________________________________

**5** *Forma delle frasi con un elemento di ogni casella.*

| | | |
|---|---|---|
| Carlotta<br>Io<br>Noi<br>Giorgio e Sandra<br>Voi<br>Tu | vado a<br>vai al<br>va a<br>andiamo a una<br>andate al<br>vanno in un | ballare.<br>lavoro.<br>festa.<br>bar.<br>casa.<br>cinema. |

______________________________

______________________________

______________________________

______________________________

______________________________

______________________________

**6** *Risolvi l'anagramma dei verbi. Scrivi ogni verbo nelle caselle a destra: le lettere numerate formano un altro verbo coniugato.*

| | |
|---|---|
| MICSUOA | [1] [ ] [ ] [ ] [ ] [ ] [ ] |
| GAECOTI | [ ] [ ] [ ] [3] [ ] [5] [6] |
| SEEC | [ ] [2] [ ] [ ] |
| GIICOH | [ ] [4] [ ] [ ] [ ] [ ] |
| IM LAOZ | [ ] [ ]  [ ] [ ] [ ] [ ] |
| GOHCIMIAO | [ ] [ ] [ ] [ ] [ ] [ ] [ ] [ ] [ ] |

**Soluzione:** [1] [2] [3] [4] [5] [6]

**7** *Trasforma le frasi, come nell'esempio.*

1 Marco gioca spesso con i bambini.

Gli piace giocare con i bambini.

2 Paola va sempre al cinema il fine settimana.

___________________________

3 Io non vado mai all'opera.

___________________________

4 Signor Fiorelli, passa spesso la serata con gli amici?

___________________________

5 Sara, leggi sempre il giornale a colazione?

___________________________

6 Daniele guarda spesso la tv la sera.

___________________________

4

**8** *Completa le frasi con la parola appropriata.*

1 Ti piace ________ con gli amici e andare a cena ________ ?

2 ________ volta andiamo in un pub, ma spesso ________ a casa.

3 D'inverno non mi piace ________ niente uscire ________ sera.

4 ________ domenica ________ mi sveglio mai presto: ________ alzo spesso dopo le dieci.

5 Il venerdì sera non esco, mi piace ________ a casa e leggere un ________ .

**9** *Completa il testo con le preposizioni "a", "di/d'", "da", "in" o "con". Attenzione: in alcuni casi devi aggiungere un articolo determinativo alla preposizione.*

Il venerdì sera resto sempre ______ casa, perché finisco ______ lavorare ______ 20.00.
Preparo la cena, mangio ______ sola e ______ 9 ______ 11 leggo un libro o guardo la tv.
______ estate qualche volta dopo cena faccio una passeggiata ______ un'amica.
Il sabato sera mi piace uscire con gli amici, non sto mai ______ casa.
Di solito passiamo la serata ______ locali vari.
Qualche volta andiamo ______ cena e spesso ______ cinema, ma non vado mai ______ discoteca perché non mi piace ballare. Mi piace invece andare ______ un concerto o ______ una festa.

**10** *Scrivi le domande (formali e informali ) corrispondenti alle risposte.*

1 ◆ ________________________________________
● Il venerdì resto a casa e il sabato di solito vado a cena fuori.

2 ◆ ________________________________________
● Mi piace molto guardare la tv.

3 ◆ ________________________________________
● Sì, ho solo un giorno libero, la domenica.

4 ◆ ________________________________________
● Sono le undici e dieci.

5 ◆ ________________________________________
● Comincio la giornata con un caffè ristretto.

6 ◆ ________________________________________
● Vado a lavorare alle otto.

## 11 *Rispondi alle domande con una frase negativa.*

1 Ti piace ballare? ______________________

2 Vai spesso al cinema? ______________________

3 La domenica fai una passeggiata con gli amici? ______________________

______________________

4 Esci la sera solo il fine settimana? ______________________

5 Ti svegli alle sei? ______________________

## 12 *Completa il cruciverba con i verbi coniugati.*

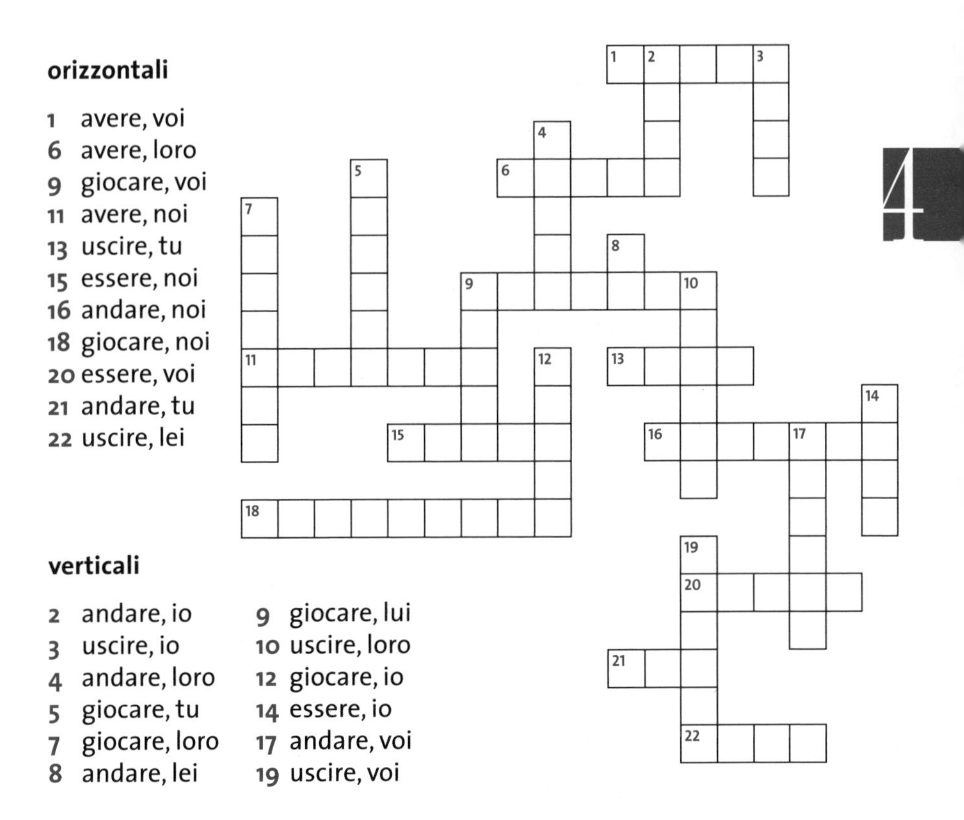

**orizzontali**

1 avere, voi
6 avere, loro
9 giocare, voi
11 avere, noi
13 uscire, tu
15 essere, noi
16 andare, noi
18 giocare, noi
20 essere, voi
21 andare, tu
22 uscire, lei

**verticali**

2 andare, io
3 uscire, io
4 andare, loro
5 giocare, tu
7 giocare, loro
8 andare, lei
9 giocare, lui
10 uscire, loro
12 giocare, io
14 essere, io
17 andare, voi
19 uscire, voi

# ANCORA PIÙ ASCOLTO

CD▶10 **13**

**a** *Ascolta più volte e completa il dialogo. Ogni simbolo "_" corrisponde a una lettera.*

■ Oh, mi scusi!

▶ Scusi, scusi Lei!

■ Ma... noi _ _   _ _ _ _ _ _ _ _ _ _? Tu sei Paola, no?
Sabato... _ _ _ _   _ _ _ _ _?

▶ Sabato... Ah, sì, è _ _ _ _! _ _ _ _ _ _ mi ricordo[1]. E tu invece ti chiami...?

■ Pietro.

▶ Ah sì, Pietro. Pietro, come va? _ _ _ _   _ _ _ di bello _ _ _?

■ Va bene, grazie, non c'è male. Adesso _ _ _ _   _   _ _ _ _ _ _ _ _.
Prima, però, prendo un caffè, tanto è _ _ _   _ _ _ _ _ _...

▶ _ _ _   _ lavorare _ _ _ _ _   _ _ _ _? Ma è sabato!

■ Eh sai, io _   _ _ _ _ _ lavoro anche _ _   _ _ _ _ _ _. Mi
_ _ _ _ _ _ _ di lavorare anche la _ _ _ _ _ _ _ _...

▶ Ah! Ma _ _ _   _ _ _ _ _ _   _ _ _, scusa?

■ Eh... Indovina un po'?

CD▶11

**b** *Riascolta attentamente e ripeti le frasi. Concentrati sull'intonazione.*

# Usciamo insieme?

**1** *Completa il dialogo con le parole della lista.*

vorrei | dentro | che | quando | prenotare | posto
per | possibile | prossimo | quante | Lei

- ● Buongiorno, senta, vorrei __________ un tavolo __________ sabato __________ .
- ■ Per __________ ?
- ● Per l'una.
- ■ Per __________ persone?
- ● Per quattro. È __________ ?
- ■ Sì, c'è __________ . Preferisce un tavolo __________ o fuori?
- ● __________ mangiare fuori.
- ■ Sì, allora un tavolo fuori per quattro persone. A __________ nome, scusi?
- ● Baccini.
- ■ Grazie.
- ● Grazie a __________ .

**2** *Unisci le parti di destra e sinistra e forma delle espressioni. Attenzione: in alcuni casi sono possibili diverse soluzioni.*

| | | | |
|---|---|---|---|
| 1 | girare | a | dritto |
| 2 | andare | b | l'incrocio |
| 3 | continuare | c | a destra |
| 4 | attraversare | d | alla fermata dell'autobus |
| 5 | arrivare | e | fino alla piazza |

5

## 3 *Completa il cruciverba con le indicazioni stradali.*

**orizzontali**

2 Per piazza Colombo continuo sempre ...... ?
5 Giro a destra o a ...... ?
6 Al ...... attraversi la strada.
7 La ...... del tour è in piazza di Porta Maggiore.
9 Dopo Porta San Giovanni continui ...... a via Appia.

**verticali**

1 Attraversi l' ...... e poi vai dritto.
2 Girare a sinistra e poi a ......
3 Questa è la ...... della città.
4 In via Volta c'è la ...... del tram.
8 Tu ...... dall'albergo e vai in via Biancamano.

## 4 *Completa il dialogo con le parole appropriate.*

1 ● Scusi, Le posso ____________ un'informazione?

■ Sì, ____________.

● Sa ____________ la fermata del tram?

■ Non ____________ so. Mi ____________ .

2 ▶ Scusi, il Museo Nazionale è lontano?

■ Può ____________ l'autobus.

▶ ____________ numero?

■ Il numero 5.

▶ Grazie.

■ Prego, ____________ ____________ ____________ ____________ .

**5** a *Forma dei verbi coniugati con i gruppi di lettere della lista. Poi inserisci i verbi nella tabella.*

te | pia | pos | so | pe | no | sono | mo | sia
po | sa | sap | te | san | te | pos | mo | pos

| | sapere | potere |
|---|---|---|
| (io) | so | |
| (tu) | sai | puoi |
| (lui, lei, Lei) | sa | può |
| (noi) | | |
| (voi) | | |
| (loro) | | |

b *Adesso completa le frasi con le forme coniugate di "sapere" o "potere".*

1 Scusi, (Lei) ________ dov'è via Roma?
2 La piazza è vicina: (Lei) ________ andare a piedi.
3 Non (io) ________ dov'è il museo, mi dispiace.
4 Non (noi) ________ uscire sabato, lavoriamo fino alle 21.00.
5 (tu) ________ portare Carlo a scuola prima delle otto?
6 Per andare al lavoro Alberto e Vittoria ________ prendere l'autobus.
7 Scusi, Le ________ chiedere un'informazione?
8 Rita, Saverio, ________ dov'è Lorenzo?

5

**6** *Completa i due minidialoghi con le parole appropriate.*
*In alcuni casi puoi trovare le informazioni necessarie nel disegno.*

1 ● Senta, ________ , sa dov'è via Foscolo?

■ Sì, Lei va sempre ________ , in via Boccaccio gira a ________ ,

attraversa la ________ e poi gira a ________ .

2 ● Scusi, via Nievo è lontana?

■ Sì, un po'. Lei va sempre ________ , in via Boccaccio gira a

________ e ________ sempre dritto fino ________ piazza.

Vede subito via Nievo.

● ________ anche prendere il tram?

■ Sì, il numero 2.

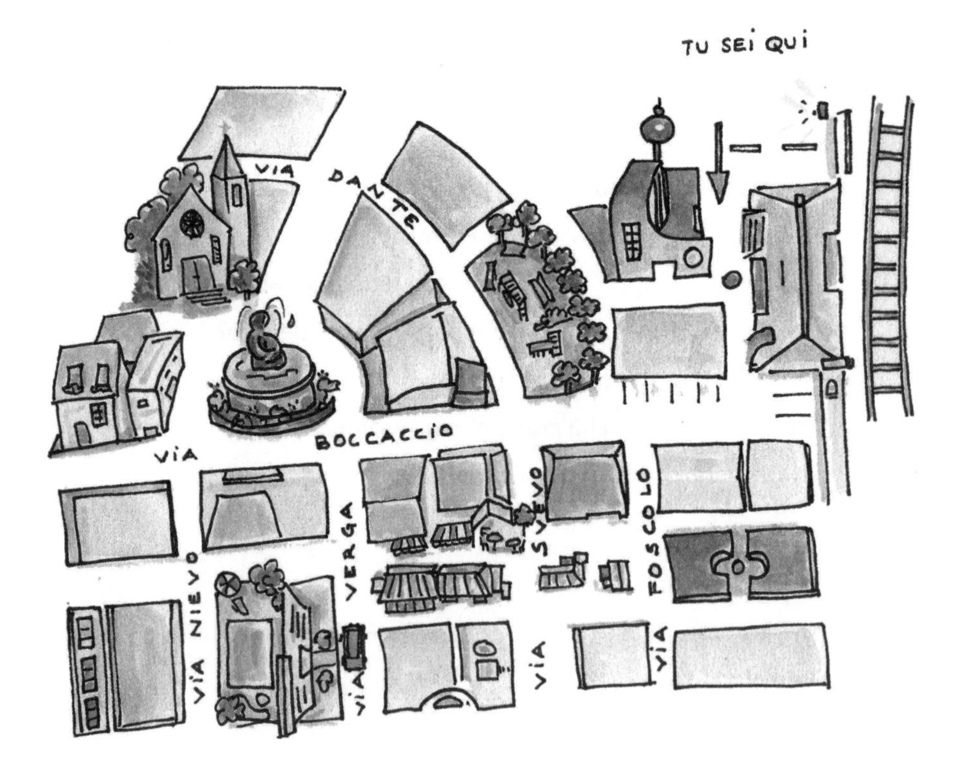

# ANCORA PIÙ ASCOLTO

1▸12 **7**

**a** *Ascolta più volte e completa i il dialogo. Attenzione: in questo caso ogni riga corrisponde a una parola.*

● Cooperativa “__________”, buongiorno.

■ Buongiorno. Senta, __________ __________ un tavolo. __________?

● __________, scusi?

■ Eh, venerdì prossimo, __________ c’è __________.

● Venerdì prossimo... __________ __________?

■ Per due.

● Ah, allora sì, è possibile.

■ Oh, __________! Perfetto.

● Scusi, la __________ ... __________ nome?

■ Roncalli.

● Roncalli. Va bene, grazie.

■ __________. Arrivederci.

● Arrivederci.

1▸13

**b** *Riascolta il dialogo e pronuncia le battute del cliente. Ripeti l’attività alcune volte.*

5

**8** *Trova i 9 nomi di alimenti nascosti nella griglia in orizzontale (da destra verso sinistra e viceversa).*

| X | B | N | G | R | B | I | S | T | E | C | C | A | Q | E | E | T | T | E | X |
|---|---|---|---|---|---|---|---|---|---|---|---|---|---|---|---|---|---|---|---|
| P | A | T | A | T | I | N | E | F | R | I | T | T | E | E | S | B | E | Z | Y |
| P | C | T | C | C | O | M | W | G | P | O | L | L | O | P | U | K | V | W | A |
| U | M | F | C | B | S | S | A | T | A | L | A | S | N | I | H | C | R | R | U |
| S | R | D | I | P | H | E | V | E | S | P | I | N | A | C | I | U | E | J | O |
| S | R | J | S | A | R | T | S | E | N | I | M | Z | B | A | A | P | O | Q | N |
| M | S | A | L | A | M | I | N | I | N | O | B | S | L | F | J | H | H | F | I |
| F | P | T | R | E | A | Q | D | C | I | D | N | U | R | A | V | I | O | L | I |
| T | R | A | U | Q | O | I | H | C | C | I | D | A | R | P | Q | W | J | F | S |

**9** *Completa le domande con le parole o i gruppi di parole appropriati.*

1 Bevi vino rosso o ______________ ?
2 Preferisci il pesce o ______________ ?
3 Prendi l'acqua naturale o ______________ ?
4 Vai in autobus o ______________ ?
5 Per via Verdi a destra o ______________ ?

**10** *Completa le frasi in base alle informazioni della tabella.*

| **Nomi** | **Dolci** | **Verdura** | **Olive** |
|---|---|---|---|
| Chiara | ☺ | ☹ | ☹ |
| Fabio | ☺ | ☺ | ☺ |
| Luca e Valentina | ☹ | ☺ | ☹ |

1 A Chiara piacciono i dolci. – A Luca e Valentina invece no.
2 A Chiara ______________ la verdura. – A Fabio ______________ .
3 A Luca e Valentina ______________ le olive. – ______________ a Chiara.
4 A Fabio ______________ i dolci. – ______________ a Chiara.
5 A Chiara ______________ le olive. – A Fabio ______________ .
6 A Luca e Valentina piace la verdura. – A Chiara ______________ .

**11** *Associa gli aggettivi della lista ai sostantivi della tabella.*
*Attenzione: sono possibili diverse soluzioni.*

rapido | tranquillo | semplice | elegante | particolare
caro | cortese | conveniente | vicino

| **Ambiente** | **Prezzo** | **Personale** | **Locale** | **Servizio** |
|---|---|---|---|---|
| | | | | |

**12** *Sottolinea la preposizione giusta.*

1 Vorrei prenotare un tavolo **a/al/per** venerdì prossimo.
2 Siete aperti anche **a/al/in** pranzo? – No, solo **alle/dalle/da** sette **da/alla/di** sera **alle/alla/a** mezzanotte.
3 **Da/Per/Con** quante persone è il tavolo?
4 Lei esce **dalla/della/del** banca e va dritto. Poi arriva **a/al/in** un incrocio **per/con/da** il semaforo.
5 Il cinema è **nella/in/al** Piazza Garibaldi.
6 **Per/A/Da** bere vorrei un quarto **di/del/con** vino bianco.
7 **Da/Di/Con** contorno prendo i funghi trifolati.
8 Andiamo **in/a/al** taxi? – No, andiamo **in/a/al** piedi! Non è lontano.

**13** *Completa il cruciverba con i verbi coniugati.*

**orizzontali**

1 bere, lui
4 avere, loro
6 essere, tu
7 prendere, loro
8 potere, noi
9 abitare, voi
10 offrire, lei

**verticali**

2 uscire, io
3 fare, io
5 stare, loro
6 sapere, noi

# ANCORA PIÙ ASCOLTO

CD▸14 **14** **a** *Ascolta più volte e completa i dialoghi.*
*Attenzione: in questo caso ogni riga corrisponde a una parola.*

**1** ● Scusi! _________ _________ _________ un'informazione?

■ Sì, prego.

● Senta, _________ dov'è _________ _________ del tram?

■ La fermata del tram? No, _________ _________ _________ .

Mi _________.

● Ah... _________ _________ _________ .

■ Di niente.

**2** ● _________ . Piazza _________ Porta Maggiore

_________ _________?

■ Beh, _________ _________ sì, un po'. Però può _________

l'_________ _________ _________.

● Ah sì? _________, scusi?

■ La_________ _________ _________, vede?

● Ah, sì. È vero. Beh, _________ _________ l'_________, grazie mille.

■ Prego, _________ _________ _________ _________.

CD▸15 **b** *Riascolta i dialoghi e pronuncia le battute della turista.*
*Ripeti l'attività finché ti sembra necessario.*

5

# E tu, cosa hai fatto?

**1** *Completa l'e-mail con le parole (...............) o le desinenze (____) appropriate.*

paolini@nuovaitalia.it

............... dott. Paolini,

............... seminario ............... stato molto util____ .

............... mia presentazione ............... andata bene e ............... ascoltato anche ............... presentazion____ ............... due colleghe.

............... conosciuto nuovi collegh____ e ............... ricevuto informazioni ...............

Non ............... avuto un attimo ............... tempo libero, ma ............... passato un fine settimana interessant____ .

............... saluti

Flavio Pane

**2** *Unisci le parti di destra e sinistra e forma delle espressioni. Attenzione: in alcuni casi sono possibili diverse soluzioni.*

| | | | |
|---|---|---|---|
| 1 | pranzare | a | una discussione interessante |
| 2 | andare | b | la città |
| 3 | visitare | c | con un'amica |
| 4 | ricevere | d | in giro |
| 5 | sentire | e | nuove idee |
| 6 | conoscere | f | informazioni |

**3** *Ordina i verbi della lista in base alla desinenza del participio passato.*

avere
visitare ricevere preferire
dormire passare
andare sentire uscire
pranzare

ato

ito

uto

**4** *Riordina le parole e forma delle frasi.*
*Poi guarda il disegno e decidi se le informazioni sono vere o false.*

| Francesca e Alberto... | **vero** | **falso** |
|---|---|---|
| 1 sport la fatto mattina hanno<br>____________________ | ☐ | ☐ |
| 2 non fuori pranzo sono a andati<br>____________________ | ☐ | ☐ |
| 3 il hanno libro pomeriggio letto un<br>____________________ | ☐ | ☐ |
| 4 un CD ascoltato hanno<br>____________________ | ☐ | ☐ |
| 5 la andati cinema sera non al sono<br>____________________ | ☐ | ☐ |
| 6 in sono discoteca andati<br>____________________ | ☐ | ☐ |



**5** *Completa il testo con i verbi tra parentesi coniugati al passato prossimo.*

Ieri mattina Michela (*uscire*) ____________ alle 8 e (*portare*) ____________ i bambini a scuola. (*Cominciare*) ____________ a lavorare alle 9. Alle 10 (*andare*) ____________ con un'amica al bar e (*mangiare*) ____________ un tramezzino. Poi (*tornare*) ____________ in ufficio, (*incontrare*) ____________ un cliente e (*ricevere*) ____________ molte informazioni utili per la presentazione di giovedì. (*Lavorare*) ____________ fino all'una.
Nella pausa all'ora di pranzo non (*andare*) ____________ a mangiare fuori, ma (*preferire*) ____________ leggere il giornale.
Il pomeriggio (*telefonare*) ____________ a Patrizia e (*parlare*) ____________ per quasi mezz'ora del seminario.

**6** *Ordina le espressioni di tempo delle due liste.*

oggi (8 febbraio) | due mesi fa | ieri
la settimana scorsa | il primo gennaio

1 ______________________________

alle ore 14 e 35 | la mattina | a mezzanotte
alle sei di sera | all'ora di pranzo

2 ______________________________

**7** *Completa il cruciverba con i participi passati dei verbi.*

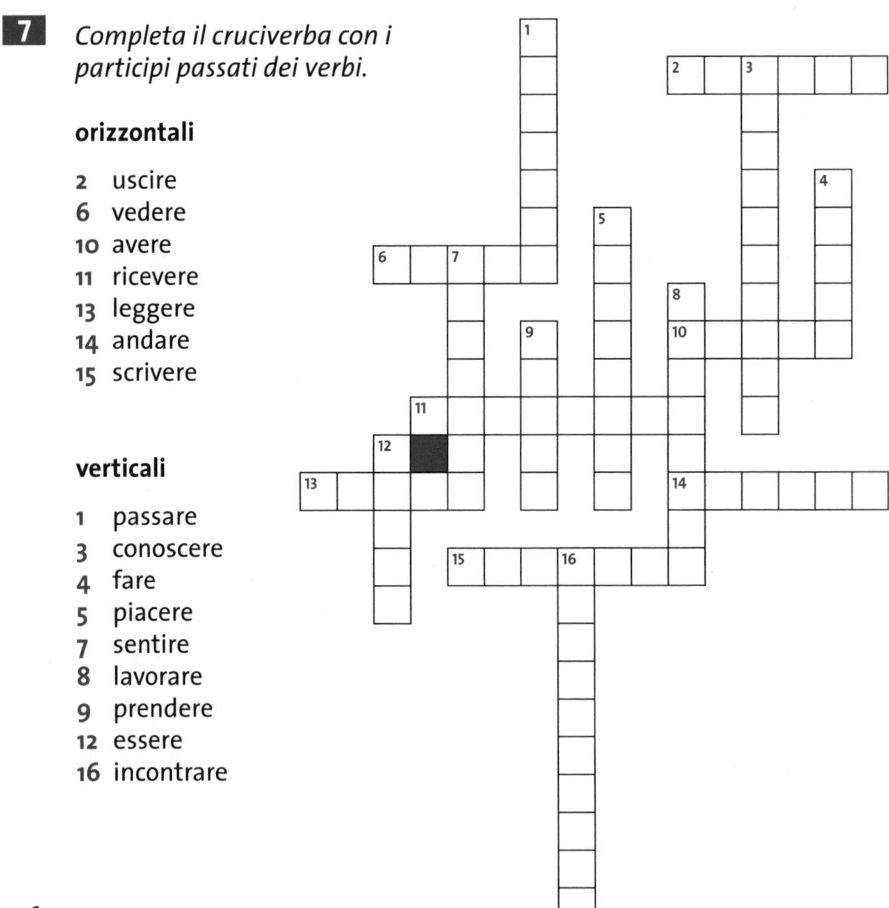

**orizzontali**

2 uscire
6 vedere
10 avere
11 ricevere
13 leggere
14 andare
15 scrivere

**verticali**

1 passare
3 conoscere
4 fare
5 piacere
7 sentire
8 lavorare
9 prendere
12 essere
16 incontrare

**8** *Completa l'e-mail con i verbi tra parentesi al presente o al passato prossimo.*

francesca@libero.it

Ciao Francesca,

come (*andare*) ______________?

Io (*stare*) ______________ bene, (*lavorare*) ______________ molto e la sera non (*essere*) ______________ mai a casa.

La settimana scorsa (*andare*) ______________ a un concerto di Ramazzotti. Non ti (*piacere*) ______________, lo so, ma per me è unico e la serata mi (*piacere*) ______________ molto. Ieri (*essere*) ______________ alla festa di compleanno di Giovanni. (*Andare*) ______________ proprio bene.

Giulia e Marco (*preparare*) ______________ le decorazioni, Sergio (*portare*) ______________ lo spumante, Carla (*fare*) ______________ le tartine e io (*comprare*) ______________ i pasticcini. (*Noi-ascoltare*) ______________ la musica e (*noi-ballare*) ______________. A mezzanotte Giovanni (*ricevere*) ______________ gli auguri di Marina con una dedica alla radio. L'idea gli (*piacere*) ______________ tantissimo.

Ciao a domenica

Clara

P.S. (*Tu-scrivere*) ______________ un sms a Giovanni per gli auguri?

6

**9** *Completa le frasi in base alle informazioni della tabella.*

| Nomi | Lo spumante | La sorpresa | I pasticcini | Le decorazioni |
|---|---|---|---|---|
| Carla | ☺ | ☹ | ☹ | ☺ |
| Sergio | ☺ | ☺ | ☹ | ☹ |
| Giulia e Marco | ☹ | ☺ | ☹ | ☺ |

1 A Carla è piaciuto lo spumante. – A Giulia e Marco invece no.

2 A Carla non ______________ la sorpresa. – A Sergio __________.

3 A Giulia e Marco ______________ le decorazioni. – __________ a Carla.

4 A Sergio non ______________ i pasticcini. – __________ a Carla.

5 A Carla ______________ le decorazioni. – A Sergio __________.

6 A Giulia e Marco ______________ la sorpresa. – A Carla __________.

**10** *Devi scrivere un biglietto di auguri. Associa le espressioni della lista alla situazione corrispondente.*

1 Due amici si sposano:

______________________________

______________________________

2 Un amico si laurea:

______________________________

3 È il compleanno di una persona che conosci:

______________________________

4 È Natale:

______________________________

felicitazioni  tanti
al neodottore  feste
buone  congratulazioni
vivissime e  auguri
un augurio  affettuoso
per il futuro

**11** *Ecco una filastrocca italiana. Completala con i mesi dell'anno. Poi rispondi alle domande.*

Trenta giorni ha n__________

con a________ , g________ e s____________.

Di ventotto ce n'è uno:

tutti gli altri ne han trentuno!

Di ventotto ce n'è uno: quale mese ha 28 giorni?

______________________________________________

Tutti gli altri fan trentuno: quali mesi hanno 31 giorni?

______________________________________________

______________________________________________

6

**12** *Completa la descrizione di queste feste.*

1 La festa della donna è l'8 marzo.

2 S. Valentino è ________________.

3 La Befana è ________________.

4 Natale è ________________.

# ANCORA PIÙ ASCOLTO

CD▸16 **13** **a** *Ascolta più volte e riordina le frasi del dialogo.*

- ● Pronto?
- ■ io. amore, ciao sono Vale,

___

- ● oggi? Com'è Ah, Allora? ciao! andata

___

- ■ al senti, Guarda, una noia come immaginare, puoi come solito mortale.

___

- ● fatto la presentazione? Ma come, non Davvero? scusa, hai

___

- ■ sì, successone! benissimo. la presentazione Ma sì, è andata È stata un

___

6

guarda, veramente quello di oggi non questi seminari ormai,
mi è piaciuto per niente. Sai, uff,

___

___

- ● piuttosto, ieri ma non sera Senti un po', ti ho risposto...
chiamato al cellulare, hai

___

___

- ■ al sono Beh sai, andato cinema...

___

CD▸17 **b** *Riascolta attentamente il dialogo e ripeti le frasi. Concentrati sull'intonazione.*

# Che hobby hai?

**1** *Completa il cruciverba con le parole mancanti.*

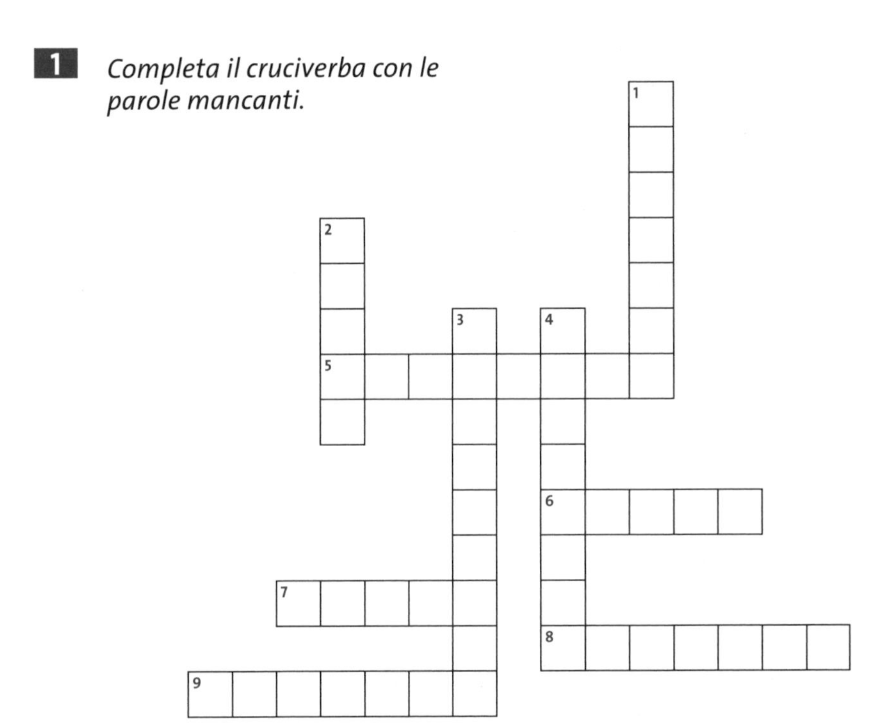


**orizzontali**

5 Mi piace .... e anche mangiare!
6 Mi piace la musica. .... la chitarra.
7 Mario gioca a .... con gli amici al bar.
8 Il fine settimana noi .... in bicicletta.
9 Cecilia va in piscina perché .... è rilassante.

**verticali**

1 Amo la corsa. – Anche a me piace .... .
2 Roberto .... a calcio il lunedì.
3 Un'attività individuale.
4 Fai sport? – Sì, vado in .... .

**2** *Sottolinea il verbo corretto fra quelli* ***evidenziati*** *("sapere" e "potere"). Poi forma delle frasi logiche, come nell'esempio.*

| | |
|---|---|
| Carlotta **sa/può** suonare la chitarra, | anche qui? |
| Io **so/posso** lavorare in giardino | ma non il pianoforte. |
| Angela e io **sappiamo/possiamo** cucinare bene la carne, | solo il fine settimana, perché ho tempo. |
| Giorgio e Sandra **sanno/possono** correre | anche per 10 Km. |
| Voi non **sapete/potete** andare a piedi in Piazza Carducci: | ma non il pesce. |
| Lorenzo, **sai/puoi** ricevere sms | è molto lontana. |

**3** *Ascolta attentamente il dialogo a pagina 77 del Libro dello studente (CD audio allegato alla Guida per l'insegnante o disponibile separatamente, brano 26) e indica con una "X" le informazioni corrette.*

| | | **vero** | **falso** |
|---|---|---|---|
| 1 | Marina va a ballare 3 volte alla settimana. | ☐ | ☐ |
| 2 | Marina ha un cavallo. | ☐ | ☐ |
| 3 | A Silvano piace correre anche per 10 Km. | ☐ | ☐ |
| 4 | A Silvano non piace ascoltare la musica. | ☐ | ☐ |
| 5 | Cecilia sa suonare il piano. | ☐ | ☐ |
| 6 | A Fausto piace cucinare con gli amici. | ☐ | ☐ |

**4** *Completa le espressioni di tempo della 3ª colonna con "volta/volte a" (+ articolo determinativo) o "ogni". Poi forma delle frasi, come nell'esempio.*

| Chi? | Che cosa? | Quando? |
|---|---|---|
| Lorenzo | andare a nuotare | tre volte alla settimana |
| Pietro e io | giocare a calcio | una ________ anno |
| Cecilia | andare in palestra | ________ domenica |
| Raffaella e Claudio | giocare a carte | due ________ mese |

Lorenzo va a nuotare tre volte alla settimana.

________________________________________

________________________________________

________________________________________

**5** *Completa il testo "Gli italiani e il tempo libero" del Libro dello studente (pagina 78) con le espressioni della lista.*

Friuli Venezia Giulia | giorno | tempo libero | terrazzo
ortaggi | passione | qualità | 2008 | praticato
maschi e femmine | Mezzogiorno | i 24 e i 34 anni

Quasi quattro italiani su dieci (37 per cento) dedicano parte del ________ al giardinaggio e alla cura dell'orto dove raccogliere frutta, ________ o piante aromatiche da portare in tavola, come misura antistress, per ________, per gratificazione personale o anche solo per risparmiare. È quanto emerge da un'analisi della Coldiretti sulla base dei dati Istat sulle attività del tempo libero pubblicati nel ________. Si tratta di un hobby che coinvolge allo stesso modo ________ e che piace ai giovani, considerato che è ________ da più di uno su quattro di quelli con età compresa tra ________, anche se l'interesse aumenta con l'età e raggiunge quasi la metà degli over 65.

Il fenomeno è molto diffuso al nord come in Veneto, Valle d'Aosta e ______________, dove interessa oltre il 50 per cento della popolazione, e meno nel ______________ (sotto il 25 per cento).

La ricerca di un legame più diretto con la natura, ma anche la volontà di garantire la ______________ e la sicurezza del cibo che si porta in tavola ogni ______________ sono i principali motivi di questa tendenza.

Un'attività che va bene non solo per chi ha un giardino, ma anche per chi ha un semplice ______________ grazie all'offerta di piante adatte alla coltivazione in vaso. [...]

(adattato da: www.coldiretti.it)

**6** *Completa le frasi con i colori della lista e, se necessario, cambia la desinenza dell'aggettivo. Poi scegli il sostantivo giusto tra quelli* ***evidenziati****.*

bianco | rosso | giallo | arancione | verde | blu

1 I limoni sono ____________ come **le banane/i kiwi.**

2 Lo zucchero è ____________ come il **sale/il pepe.**

3 I pomodori sono ____________ come **l'olio/il radicchio.**

4 Le arance sono ____________ come **le carote/il burro.**

5 L'olio è ____________ come **le pesche/le zucchine.**

6 I mirtilli sono ____________ come **le prugne/l'ananas.**

7 L'insalata è ____________ come **i piselli/le ciliegie.**

8 I peperoni sono ____________, ____________ e ____________.

**7** *Trova i 7 aggettivi nascosti nella griglia in orizzontale (da destra verso sinistra e viceversa). Poi completa le frasi con gli aggettivi della griglia.*

| | | | | | | | | | | | |
|---|---|---|---|---|---|---|---|---|---|---|---|
| I | X | S | T | A | G | I | O | N | A | T | O |
| K | O | Z | A | T | I | R | O | P | A | S | G |
| E | L | A | U | D | I | V | I | D | N | I | Z |
| O | V | I | T | R | O | P | S | O | C | U | Z |
| F | R | E | S | C | H | I | B | U | O | N | E |
| Z | Y | A | C | K | I | X | K | P | R | M | C |
| V | P | R | I | L | A | S | S | A | N | T | E |

1 Leggere è un hobby ______________.

2 Paolo non è un tipo ______________.

3 Ho delle pere molto ______________.

4 Mi piace il pecorino ______________.

5 Ho comprato dei mirtilli ______________.

6 Ieri ho mangiato una tagliata di pesce davvero ______________.

7 La corsa è uno sport ______________.

**8** *Ecco la lista della spesa di Carlo, Silvia e Marco: scrivi che cosa comprano, come nell'esempio.*

Carlo
marmellata 1
2 kg patate
1 ½ kg pomodori
½ l latte
birra 2

Silvia
300 gr prosciutto
spaghetti 3
250 gr burro
miele 1

Marco
6 uova
200 gr mortadella
sale
tonno 3

Carlo compra un vasetto di marmellata, ______________

______________

______________

______________

______________

**9** *Dove si comprano questi alimenti? Ordina le parole della lista, come nell'esempio. Attenzione: devi aggiungere l'articolo partitivo appropriato.*

cornetti ~~panini~~ salame olive funghi carne pane
pasticcini uova pancetta limoni

Al mercato
___________
___________
___________
___________

In panetteria
dei panini
___________
___________
___________

In macelleria
___________
___________
___________

**10** *Ordina le parole e forma delle frasi. Poi ordina le frasi e forma un dialogo. La prima frase è già indicata.*

[1] ○ tramezzini? fate voi dei Buongiorno, senta,

___________________________________________

[ ] ■ saporita. mortadella anche della Ho fresca e

___________________________________________

[ ] ■ facciamo, li No, non ma abbiamo delle piadine. una? vuole Ne

___________________________________________

[ ] ○ formaggio. la con pomodoro Sì, prendo e

___________________________________________

[ ] ■ Lei. Ecco a

___________________________________________

[ ] ○ Beh, piadina una con mortadella. allora prendo anche la mangio mai. quasi non la

___________________________________________

**11** *Leggi l'e-mail e rispondi alle domande, come nell'esempio. Attenzione: nelle risposte devi usare i pronomi diretti "lo", "la", "li", "le".*

Ciao Michela,

come stai? Vai in palestra oggi? Io no, è il compleanno di Marina e le facciamo una sorpresa. Sara e io prepariamo i tramezzini, Giulia fa una torta al cioccolato, Davide compra le bibite, Cesare vuole organizzare la musica. Teresa ha già lo spumante. E Sandro? È un perfezionista e prepara le decorazioni.

Vieni anche tu?
Ciao, Lucia

1 Chi prepara i tramezzini? – Li preparano Sara e Lucia.
2 Chi porta lo spumante? – ____________
3 Cesare porta le decorazioni? – No, ____________
4 Giulia fa una torta alla panna? – ____________
5 Davide organizza la musica? – ____________
6 E chi porta le bibite? – ____________

**12** *Completa i minidialoghi con "quanto", "quanta", "quante" o "quant'".*

1 ○ ________ pecorino hai comprato?
■ Due etti.

2 ■ Io ho preso un caffè e un cornetto. ________ è?
○ 2,50 euro.

3 ■ Ecco l'anguria. ________ ne vuole?
○ Solo un chilo.

4 ○ ________ mirtilli!
■ Eh, sì. Vorrei preparare della marmellata.

5 ○ ________ volte alla settimana andate in piscina?
■ Due o tre.

6 ○ ________ vengono i pomodori?
■ 5 euro al chilo. ________ ne vuole?
○ Quattro.

# ANCORA PIÙ ASCOLTO

CD▶18 **13**

**a** *Ascolta più volte con attenzione e sottolinea l'espressione o la parola giusta tra quelle* ***evidenziate****.*

- Ciao **da tutti/a tutti/tutti** , sono Marina.
- Ciao Marina. Tu che cosa fai? Pratichi uno sport?
- Sì, ho iniziato **da poco/poco/a poco** un corso **in/il/di** ballo latino – americano: lo faccio una volta **a/alla/dalla** settimana e mi piace molto perché **fa/va/dà** bene **il/al/dal** fisico, è divertente e posso **essere/studiare/stare** in compagnia. E poi faccio un po' **di equitazione/in equitazione/equitazione**, cioè faccio lunghe passeggiate **al/in/a** cavallo, non faccio gare.
- Hai un cavallo?
- No, io no. È una mia amica che ha **dei/di/i** cavalli, io vado a trovarla due volte **a/al/il** mese e cavalco lì **a/di/da** lei.
- Ah, bello! Grazie **per la/della/nella** telefonata, Marina.
- Prego, ciao.



CD▶18

**b** *Riascolta il dialogo ad occhi chiusi. Quante frasi capisci senza difficoltà? Ripeti questo esercizio alcune volte.*

# Ci vediamo?

**1** *Forma degli aggettivi con le parti di parole a destra. Poi associa le parole ai sostantivi della lista. Attenzione: sono possibili diverse soluzioni.*

una strada ____________
delle zanzare ____________
un quartiere ____________
una zona ____________
un centro ____________
dei negozi ____________
delle persone ____________
un supermercato ____________
delle piazze ____________
un ristorante ____________
dei giorni ____________

striale enor quilli sto viva deli con lenziosa mi tran pic rico zioso indu coli rumo rose mico si econo ce tente

8

**2** *Ordina le parole della lista, come nell'esempio.*

una | degli (2) | delle (2)
l' (2) | uno | le (2) | lo
gli (2) | la | un' | ~~un~~

stadio stadi

strada strade

edicola edicole

un ufficio postale | uffici postali

**3** *Riordina l'e-mail che Fabrizio ha scritto a Marco. La prima frase è già indicata.*

- [1] Ciao Marco!
- ☐ adesso ci sono delle zanzare enormi, e d'inverno c'è spesso la nebbia, mi hanno detto i colleghi. Senti, ma perché non vieni a trovarmi?
- ☐ Però piano piano va tutto a posto e per ora sono proprio contento: Ferrara è una città carina e tranquilla, non c'è traffico, c'è molto verde e tutto è a portata di mano. Io abito nel centro storico (in Largo Castello, di fronte al Castello Estense), e giro in bicicletta;
- ☐ Purtroppo i negozi piccoli, che io preferisco, sono pochi. C'è invece la possibilità di fare vari tipi di sport... o di vedere partite di calcio: lo stadio è in pieno centro. Solo il clima non mi piace molto:
- ☐ Anzi, vuoi venire il prossimo fine settimana? C'è anche Roberto. Dai! Così facciamo qualcosa insieme dopo tanto tempo.
- ☐ vicino a casa mia ci sono tutte le cose che mi servono: la banca, la posta, dei supermercati eccetera.
- ☐ Fabrizio
- ☐ Grazie per l'e-mail. Rispondo solo adesso perché in questi giorni sono molto occupato: nuova città, nuova casa, nuovo lavoro... Ci sono mille cose da fare.

**4** *Guarda il disegno sotto e completa le frasi con "è", "(non) c'è", "sono", "(non) ci sono".*

1 In via Giolitti ______________ la biblioteca.

2 La scuola ______________ vicino al bar Sport.

3 ______________ fermate dell'autobus in via Dante.

4 ● Dove ______________ il municipio e l'ufficio postale?

■ ______________ in questo quartiere.

5 ■ ______________ delle fontane?

■ Sì, ______________ una fontana nel parco giochi.

6 ■ E lo stadio ______________ ?

■ No, ______________.

8

**5** *Trasforma le frasi al plurale o al singolare.*

1 Ci sono degli ospedali moderni. ____________________

2 C'è una chiesa antica. ____________________

3 C'è un teatro famoso. ____________________

4 Ci sono dei parcheggi economici. ____________________

5 Ci sono delle zone industriali. ____________________

6 C'è un ponte antico. ____________________

7 C'è un quartiere tipico. ____________________

**6** *Guarda il disegno e completa i minidialoghi.*

Alla fermata dell'autobus numero 34

1 ■ Scusi, mi ________ dire dov'è l'hotel Roma?

■ Sì, Lei ____________ la strada, passa ___________ all'ospedale, ___________ dritto e ________ il cinema gira ________ ________ . L'hotel è proprio ________ il cinema.

2 ■ Scusi, c'è anche un'edicola accanto ________ hotel?

■ Sì, ________ al cinema trova una piccola edicola.

■ Grazie mille!

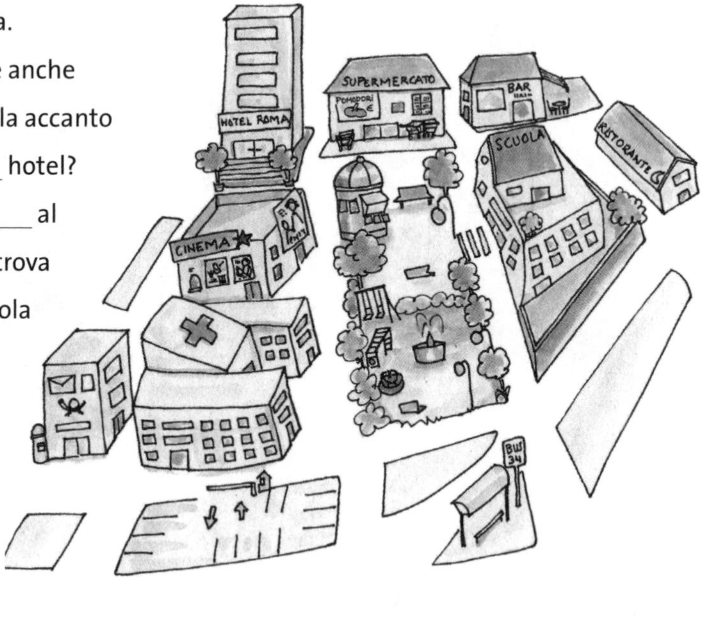

**7** *Completa ogni frase con un verbo (2ª colonna) e una preposizione (3ª colonna).*

| | | | |
|---|---|---|---|
| 1 Io | vengono | a | macchina. |
| 2 Tu | veniamo | in | centro storico. |
| 3 Antonella | vieni | nel | ponte alle sei. |
| 4 Noi non | viene | al | lavoro oggi. |
| 5 Tu e Mara | vengo | sul | fermata dell'autobus. |
| 6 Silvia e Lucio | venite | alla | piedi. |

**8** *Completa il dialogo con le forme coniugate di "volere" o "potere".*

Stasera Giulia ________ andare al cinema con gli amici.
Telefona a Paolo.

- ● Ciao, Paolo, come stai? ________ venire al cinema stasera?
- ■ No, non ________ . Vado a teatro con Beppe.
  ________ telefonare a Lucia.
- ● No, lei non ________ , perché è a Ferrara.
- ■ Non ________ andare domani? Domani io ________ e ___________ anche Luca e Francesca.
- ● Sì, ma loro non ___________ andare mai al cinema il venerdì perché è caro.
- ■ ________ venire a teatro con noi allora?
- ● Sì, grazie, allora vengo con voi.

**9** *Ordina gli aggettivi della lista, come nell'esempio. Attenzione: sono possibili diverse soluzioni.*

tranquillo | vivace | bello | veloce | caro | rumoroso
grande | moderno | antico | economico | lento
comodo | silenzioso | brutto | piccolo

stazione: tranquilla, ________, ________, ________

ponte: ________, ________, ________, ________

macchina: ________, ________, ________, ________

**10** *Guarda il disegno e associa le domande alle risposte appropriate.*

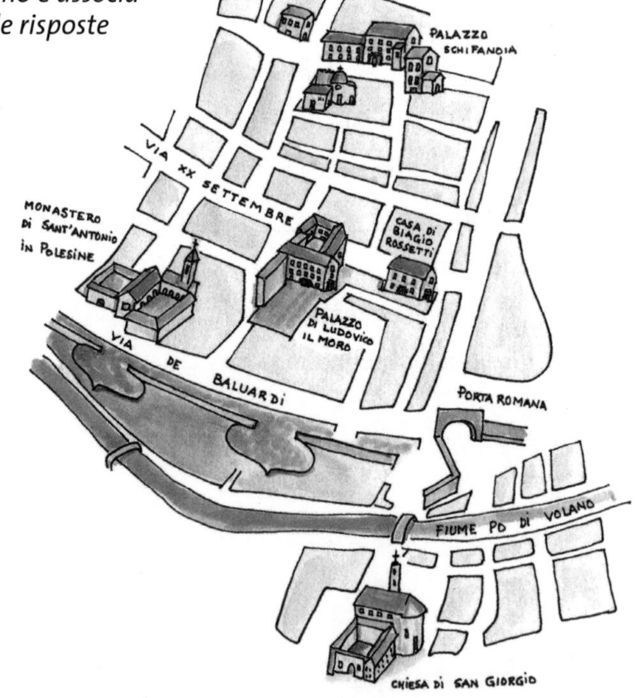

| | |
|---|---|
| **1** Ciao Liana, sono alla chiesa di San Giorgio. Vieni anche tu? | **a** Da Palazzo Schifanoia è lontano, ma può prendere l'autobus. |
| **2** La casa di Biagio Rossetti è vicino al Palazzo di Ludovico il Moro? | **b** Sì, sono a Porta Romana. Attraverso il fiume e arrivo. |
| **3** Posso raggiungere a piedi il monastero? | **c** Sì, è in via XX Settembre. |
| **4** Per via dei Baluardi volto a destra? | **d** Dalla chiesa di San Giorgio oltrepassa il ponte sul Po e poi la vede. |
| **5** Vorrei raggiungere Porta Romana. | **e** No, arriva fino a Porta Romana e poi volta a sinistra. |

**11** *Completa le frasi delle definizioni orizzontali e verticali con i verbi coniugati. Poi inserisci i verbi nel cruciverba.*



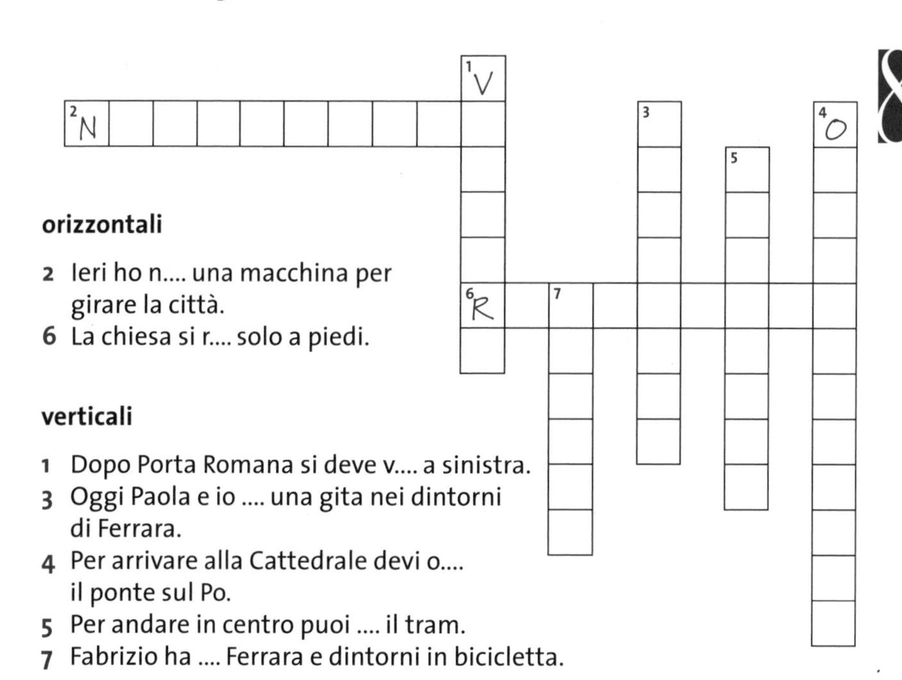

**orizzontali**

**2** Ieri ho n.... una macchina per girare la città.
**6** La chiesa si r.... solo a piedi.

**verticali**

**1** Dopo Porta Romana si deve v.... a sinistra.
**3** Oggi Paola e io .... una gita nei dintorni di Ferrara.
**4** Per arrivare alla Cattedrale devi o.... il ponte sul Po.
**5** Per andare in centro puoi .... il tram.
**7** Fabrizio ha .... Ferrara e dintorni in bicicletta.

# ANCORA PIÙ ASCOLTO

CD ▶ 19 **12** a *Ascolta più volte con attenzione e sottolinea l'espressione o la parola giusta tra quelle* ***evidenziate***.

- Beh, allora, se proprio non la conosci, devi vedere prima **in tutto/di tutto/tutto** la zona intorno **a/alla/da** casa mia perché **ci sono/lì sono/sono** diversi posti estremamente belli e interessanti: il Castello Estense, con le prigioni, per esempio; e poi la cattedrale, **tutte/tutte le/tutte e** piazze intorno **alla/a/la** cattedrale... E poi ci sono palazzi antichi molto belli, musei estremamente interessanti... **No/Non lo/Non** so, il museo del Risorgimento e della Resistenza, il Palazzo dei Diamanti.
- Mah, mi sembra molto interessante.
- E naturalmente, oltre a visitare il centro, dobbiamo fare anche un giro delle mura, **a/in/al** piedi o **in/alla /di** bici.
- Eh mamma mia, queste mura quanto sono lunghe?
- Nove chilometri, perché?
- Nove chilometri?! Non mi sembra una domanda strana. Già mi proponi il giro della città, poi dobbiamo fare anche nove chilometri... Tu **sai/sei/lo sai**, Fabrizio, io non amo molto camminare, anche andare in bicicletta. Ma non **è/c'è/se** un altro modo **un po'/un po' di/po'** più comodo **a/da/per** vedere tutte queste cose?
- No. Non c'è. Ma **c'è/è/e** molto bello, sai? Io adesso sono proprio qui, **su/le/sulle** mura, e sono venuto in bicicletta!

CD ▶ 19 b *Riascolta il dialogo ad occhi chiusi. Quante frasi capisci senza difficoltà? Ripeti l'attività alcune volte.*

# Il mio mondo

**1** *Associa quattro aggettivi della lista a ogni inizio di frase. Attenzione: ogni aggettivo deve avere la desinenza appropriata e sono possibili diverse soluzioni.*

rumoroso | anziano | fresco
tranquillo | giovane | antipatico
silenzioso | piccolo | bello | divertente

il giardino è... ____ ____ ____ ____

i vicini sono... ____ ____ ____ ____

le persone sono... ____ ____ ____ ____

la festa è... ____ ____ ____ ____

9

**2** *Un gruppo di amici ordina da bere e da mangiare in un bar. Leggi le informazioni della tabella e forma delle frasi con gli aggettivi possessivi ("mio", "tuo", "suo"...), come nell'esempio.*

| **Persone** | **Bibite** | **Spuntini** |
|---|---|---|
| io | spremuta | 2 cornetti |
| tu | tè | tramezzino |
| Mara | aperitivo | olive |
| noi | acqua minerale | 2 panini |
| voi | 2 bicchieri di vino | 2 piadine |
| Alberto e Ilaria | birra | 2 toast |

Il cameriere porta la mia spremuta, i miei cornetti...

**3** *Trova i 7 sostantivi e aggettivi nascosti nella griglia in orizzontale (da destra verso sinistra e viceversa). Poi associali alle persone disegnate sotto.*

| C | A | P | E | L | L | I | L | U | N | G | H | I | G | T |
|---|---|---|---|---|---|---|---|---|---|---|---|---|---|---|
| B | I | O | N | D | A | S | N | E | L | L | A | H | S | S |
| P | K | Y | U | K | B | A | W | A | Q | H | V | A | Q | I |
| W | T | K | L | J | A | P | C | A | L | O | Q | H | U | I |
| E | H | O | C | C | H | I | A | L | I | T | Z | H | X | M |
| I | R | E | N | I | L | L | E | P | A | C | A | N | L | I |

1 Lei è ______________.

2 Lei è ____________ e porta gli ____________.

3 Lui ha i ________________.

4 Lei ha i ________________.

**4** *Completa il cruciverba.*

**orizzontali**

4 Tina è italiana e ha i capelli ....
6 Gino ha i capelli neri, cioè è ....
7 Lina è alta e ....
10 Il contrario di *simpatico*.

**verticali**

1 Birgit è tedesca e ha i capelli ....
2 Marta è bassa e ....
3 Paolo mangia molto, infatti è ....
5 Teodoro è.... , ha 24 anni.
8 Non è alto, è ....
9 Il contrario di *noioso*.

**5** *Leggi le informazioni e completa l'albero genealogico di Fabrizio.*

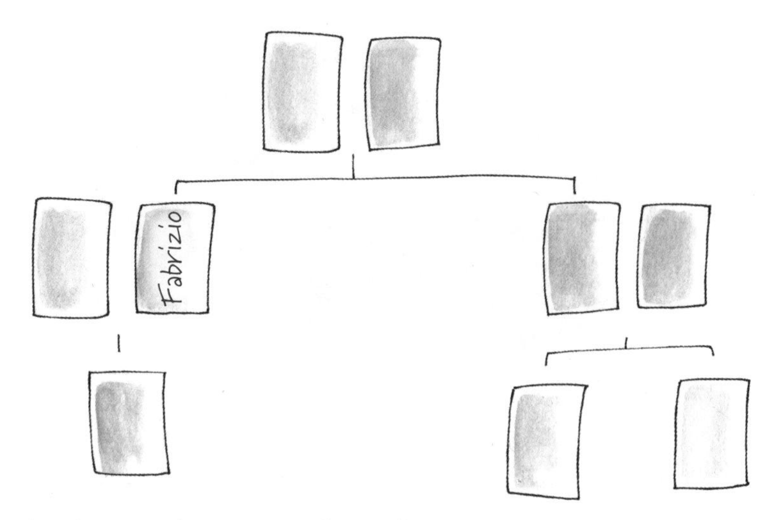


I genitori di Fabrizio si chiamano Luciano e Dora.
I due nipoti di Fabrizio sono Fabio e Marcello.
Gabriella e Davide sono gli zii di Carlotta.
Gabriella è la sorella di Fabrizio.
Fabrizio è il cognato di Davide.
Lucia è la madre di Carlotta.

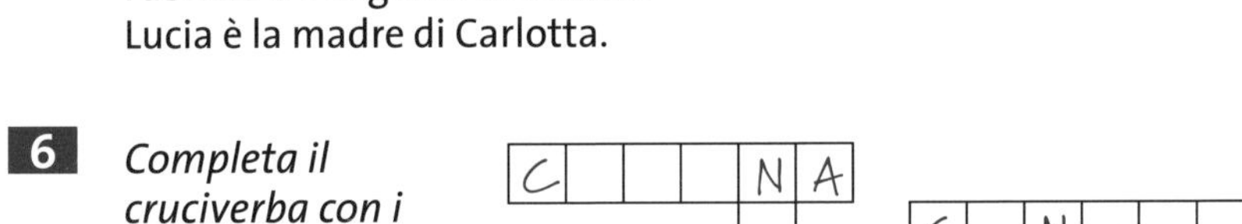

**6** *Completa il cruciverba con i nomi di parentela.*

**7** *Completa il dialogo con le forme appropriate di "questo" o "quello".*

- ● Buongiorno signora, desidera?
- ■ Mah, non so...
- ● L'uva è fresca e dolce: la vuole provare?
- ■ No, preferisco _______ pesche là dietro. Ne vorrei 2 chili e vorrei anche un chilo di _______ belle mele rosse.
- ● Ecco a Lei.
- ■ Poi vorrei un'anguria.
- ● Va bene _______ qui?
- ■ No, è molto grande, preferisco _______ piccola là dietro.
- ● Qualcos'altro?
- ■ Dei peperoni.
- ● Gialli?
- ■ No, preferisco _______ rossi. Ha anche del radicchio?
- ● È arrivato _______ mattina fresco fresco.
- ■ Bene, allora ne prendo due etti.

**8** *Associa gli aggettivi possessivi della prima colonna ai sostantivi della seconda colonna.*

| | |
|---|---|
| il tuo | casa |
| mio | cugine |
| mia | zia |
| la mia | amico |
| le sue | amici |
| i suoi | nipote |

**9** *Completa il dialogo con le desinenze dei dimostrativi e gli aggettivi possessivi, come negli esempi.*

A una festa di famiglia

● Questo è il cugino di Fabrizio?

■ Sì, è suo cugino.

● Quell___ sono ______ zii di Paola e Alessandra?

■ No, sono ___ ______ nonni.

● Quell___ è la sorella di Elisa?

■ Sì, è ______ sorella e quell___ è ____ marito.

● Quell___ sono ______ tuoi genitori?

■ Sì, quell___ a destra è ______ madre, ma quell___ a sinistra non è ______ padre, è suo fratello... beh... ______ zio!

**10** *Guarda il disegno e associa le espressioni della lista alle domande appropriate.*

tra la porta e la finestra
vicino alla porta | a destra
a sinistra | dietro la casa

1 Dove sono le scale?

______________________

2 Dov'è la porta aperta?

______________________

3 Dov'è la finestra?

______________________

4 Dov'è il numero della casa?

______________________

5 Dov'è l'albero?

______________________

# ANCORA PIÙ ASCOLTO

CD▶20 **11**

**a** *Ascolta più volte con attenzione e completa il dialogo.*
*Attenzione: in questo caso ogni riga corrisponde a diverse parole.*

▶ ________________ ragazzini! Sono i tuoi nipoti?

● Sì, ________________ mia sorella. Lì c'è anche ________________, la vedi?

▶ Sì.

● Ecco, ________________ mio nipote ________________ mia sorella. ________________ i nonni, che sono orgogliosissimi dei loro nipoti naturalmente.

▶ Ah, ________________...

● Sì.

▶ Tua madre ________________. Tuo padre ________________.

● Sì, lo dicono tutti...

▶ E ________________ chi è? Tuo fratello o tuo cognato?

● Quello è il marito di mia sorella. Mio fratello ________________ con i bambini... Ecco, guarda: Chiara e Francesco ________________ loro zio, gli sono molto affezionati.

▶ Ah, bella! E lui ________________?

● No. ________________, vive ________________.

CD▶21

**b** *Riascolta il dialogo e pronuncia le battute.*
*Concentrati sull'intonazione della frase.*

9

# Finalmente è venerdì!

**1** *Completa il testo con le preposizioni della lista.*

di | in (2) | dal | fino a | sulla | a | con
fra (2) | a | da | nel | al | del (2)

Volete trascorrere un fine settimana ______ montagna?

______ venerdì ______ domenica ______ periodo ______ 28 marzo ______ 14 maggio due genitori ______ uno o più figli __________ 14 anni hanno uno sconto ______ 20% ______ persona ______ camera doppia. Potete scegliere ______ sci e relax, ______ attività ______ neve o una visita alla città ______ Trento e scoprire le specialità ______ Trentino.

10

**2** *Associa i mesi dell'anno ai disegni.*
*Attenzione: sono possibili diverse soluzioni.*

**Primavera** **Estate**

**Autunno** **Inverno**

**3** *Scrivi il risultato delle addizioni in lettere.*

Seicentosettantotto + trecentosessantadue =

---

Centotrentasette + duecentosessantatré =

---

Cinquecentoottantuno + trecentodiciannove =

---

Settecentoventuno + ottantacinque =

---

Ottocentocinquantasei + quarantaquattro =

---

**4** *Le persone della prima colonna cercano un hotel. Riordina le parole della seconda colonna e forma delle domande. Poi associa ogni domanda a una persona.*

| | |
|---|---|
| 1 Cecilia ha un cane. | **a** avere si mezza la pensione può ? |
| 2 Franca vuole riposarsi. | **b** animali possono si portare ? |
| 3 Sabrina fa colazione e cena in albergo. | **c** nell' un parcheggio c'è hotel ? |
| 4 Mario non vuole spendere molto. | **d** camera viene la quanto ? |
| 5 Fulvio ha la macchina. | **e** benessere centro l' ha un albergo ? |

**5** *Che cosa si fa nel corso di italiano? Completa le frasi con i verbi coniugati alla forma impersonale (costruzione con "si").*

giocare | scrivere | preparare | fare
parlare | scoprire | leggere | ascoltare

1 Si ______________ un progetto.
2 Si ______________ i dialoghi del CD.
3 Si ______________ con i giochi del libro.
4 Si ______________ e-mail e cartoline.
5 Si ______________ testi interessanti.
6 Si ______________ esercizi.
7 Si ______________ la grammatica.
8 Si ______________ in italiano!

**6** *Completa il cruciverba con i verbi coniugati al presente.*

**orizzontali**

2 potere, lui
4 volere, loro
5 dovere, tu
6 dovere, Lei
8 potere, noi
11 dovere, loro

**verticali**

1 volere, tu
3 potere, voi
6 dovere, io
7 dovere, voi
9 dovere, noi
10 volere, io

**7** *Leggi le informazioni sul tempo e completa le frasi.*

Torino - 2 °C
Milano + 5°C
Venezia + 4°C
Roma + 14°C
Palermo + 13°C

1 A Torino nevica e ci sono ____________ gradi sotto zero.
2 A Milano ____________ e ci sono ____________ gradi.
3 A Venezia ____________ e ci sono ____________ gradi.
4 A Roma ____________ e ci sono ____________ gradi.
5 A Palermo ____________ e ci sono ____________ gradi.

**8** *Completa il testo della cartolina con le informazioni della tabella.*

| Quando | Tempo | Attività |
|---|---|---|
| ieri | nevicare | restare in albergo, piscina, leggere |
| oggi | sole, caldo | escursione al monte Scilliar |

Cara Caterina,
sono all'Alpe di Siusi da
giovedì a domenica.
Ieri ____________________
____________________
____________________
Oggi ____________________
____________________
____________________
Tanti saluti
Francesca

Cateri

**9** *Chiara vuole sapere cosa fa Peppe questa settimana. Che cosa risponde Peppe? Completa le domande di Chiara con le preposizioni appropriate (in alcuni casi devi aggiungere l'articolo determinativo). Poi guarda le informazioni nel calendario e scrivi le risposte di Peppe, come nell'esempio.*

| 3 LUNEDÌ | 4 MARTEDÌ | 5 MERCOLEDÌ | 6 GIOVEDÌ | 7 VENERDÌ | 8 SABATO | 9 DOMENICA |
|---|---|---|---|---|---|---|
| 16.00: piscina | | 20.00: pizzeria da Pino | 21.30: concerto di musica rock | 10.00: seminario di yoga | 21.00: festa di Luca | 14.00: escursione in bicicletta |

1 Quando vai al concerto, Peppe? Ci vado giovedì alle 21.30.

2 Quando vai __ piscina? ____________________

3 Quando vai __ seminario di yoga? ____________________

4 Quando vai __ bicicletta? ____________________

5 Quando vai ____ festa? ____________________

6 Quando vai in pizzeria? ____________________



**10** *Associa un verbo appropriato alle espressioni e forma delle domande, come nell'esempio.*

a Venezia Sei mai stato a Venezia?

1 in un ristorante etnico ____________________?

2 a una festa con i vicini ____________________?

3 il giro delle mura della città di Lucca ____________________?

4 l'Italia in bicicletta ____________________?

5 in periferia ____________________?

6 il pianoforte ____________________?

7 la tagliata di pesce misto ____________________?

# ANCORA PIÙ ASCOLTO

CD▸22 **11** a *Ascolta più volte con attenzione e completa il dialogo. Attenzione: in questo caso ogni riga corrisponde a diverse parole.*

■ Chalet Caminetto, buongiorno.

● Buongiorno. Senta, ______________________

per un fine settimana, ______________________.

■ Sì, e quando esattamente?

● Allora, o a fine gennaio, ______________________, oppure dal 13 al 15 febbraio. ______________________?

■ Dunque, in gennaio purtroppo no, mi dispiace; dal 13 al 15 febbraio invece sì.

● Va bene, ______________________ febbraio.

E ______________________?

■ 70 euro a persona.

● ______________________?

■ Sì, certo.

● OK. Senta, ______________________ alle piste da sci?

■ Siamo a 100 metri dalle piste, signora.

● Benissimo. E per arrivare a Trento ______________________?

■ Beh, ______________________ la macchina, ma non è necessario perché ______________________ per Trento molto comodo.

● Ed ______________________ nel prezzo?

■ Beh, dipende.

CD▸23 b *Riascolta il dialogo e pronuncia le battute della cliente. Ripeti l'attività alcune volte.*

10

# Soluzioni

## Lezione 1

1 **1** a; **2** b; **3** b; **4** b; **5** a

2 **1** Ciao, io sono Paolo.; **2** Buonasera, sono la vostra insegnante.; **3** E tu come ti chiami?; **4** Anch'io mi chiamo Carla.; **5** Buongiorno, è libero qui?; **6** Lei, signora, di dov'è?; **7** Lei è Francesca, una collega di Roma.

3 **a** 3; **b** 1; **c** 2; **d** 4

4 **1** francese; **2** spagnola; **3** italiana; **4** tedesco; **5** inglese; **6** turco

5 **1**
- ○ **Ciao**.
- ■ Ciao, **io** sono Paolo. E **tu** come **ti** chiami?
- ○ Io sono Francesca.

**2**
- ■ **Buongiorno**. È **libero** qui?
- ○ Sì, prego!
- ■ **Grazie**. Mi chiamo **Chiara** Monfalco.
- ○ **Piacere**, Nicola Bruni.

**3**
- ■ **Buonasera**, sono la vostra **insegnante**. Mi chiamo Carla. Lei **come** si chiama?
- ○ **Anch'io** mi chiamo Carla. Carla **Chiesa**.
- ■ Ah, piacere. Carla Codevilla.

6 **orizzontali: 1** di; **2** kappa; **5** *ci*; **6** i lunga; **7** esse; **10** emme
**verticali: 1** doppia vu; **3** acca; **4** cu; **6** ics; **8** erre; **9** zeta

7 **1** A che pagina?; **2** Come si scrive Sanchez?; **3** Come ti chiami?; **4** Di dove sei/Di dov'è?; **5** È libero qui?

8 **1** *quattro*, sette, dieci; **2** diciotto, sedici, quattordici; **3** nove, otto, sette; **4** undici, quindici, diciannove; **5** tre, cinque, otto; **6** dodici, tredici, diciassette

9 **1** Come si chiama?; **2** Che numero ha?; **3** Di dov'è?; **4** È italiano?; **5** È la collega inglese?

10 **orizzontali: 6** signora; **7** svizzera; **8** piacere
**verticali: 1** diciannove; **2** buonasera; **3** insegnante; **4** chiami; **5** puntini

11 **1** si, di; **2** Che; **3** qui; **4** di; **5** Mi

12 **1**
- ●◆ Ciao, Paolo!
- ■ Oh, ciao! Eh... lei **è** Francesca, una **collega** di Bellinzona. Francesca... Marina ...
- ● Piacere!
- ○ Ciao!
- ■ E **lui** è **Claudio**.
- ◆ Ciao!
- ○ Piacere.
- ◆ **Allora** tu sei **svizzera.**
- ○ Eh sì! E tu, **invece**, di **dove** sei?
- ◆ Sono **di** San **Gimignano**.

**2**
- ● Oh, buongiorno, **signor**

Bruni!
■ Buongiorno! **Signora** Monfalco... il signor Klum, **un** collega di **Vienna.**
○ Molto **lieta.**
● Piacere. E Lei, signora, di **dov'è?**
○ Di **Torino.**

## Lezione 2

1 1 ● Ciao, Rita!
■ Ciao, Paolo! Come stai?
● Bene, grazie. E tu?
■ Eh, non c'è male.

2 ● Ciao, Rita, come va?
■ Benissimo, grazie. E tu?
● Anch'io bene, grazie.

2 **orizzontali: 5** segretaria; **6** giornalista; **7** commesso; **8** pensionata
**verticali: 1** operaia; **2** impiegato; **3** medico; **4** rappresentante

3 **1** fa, impiegato, Lei, farmacista; **2** fai, insegnante, operaio

4 *Si chiama* Michela Accinni. Abita a Venezia. È casalinga. Parla l'inglese, il francese e lo spagnolo.

5 **orizzontali: 1** viaggia; **4** lavorano; **5** parlano; **6** parla; **7** abiti
**verticali: 2** abito; **3** parliamo; **4** lavorate

6 Mi; ho; tedesca; a; viaggio; in; a; in; a; l'italiano; lo; per; un po'

7 **1** d; **2** c; **3** f; **4** e; **5** a; **6** b

8 **1** cinquantasette; **2** sessantacinque; **3** cinquantasei; **4** ventiquattro; **5** ottanta; **6** ventuno; **7** novantanove

9
| | |
|---|---|
| ***la/una*** | professione |
| **il/un** | numero |
| **l'/un'** | impiegata |
| **il/un** | lavoro |
| **lo/uno** | spagnolo |
| **l'/*un*** | inglese |
| **lo/uno** | svedese |
| **la/una** | casa |
| **il/un** | pensionato |
| **l'/*un'*** | insegnante |
| **lo/uno** | scambio |
| **l'/un** | amico |

10 **1** *Mara non abita a Savona.*; **2** (Io) Non viaggio molto per lavoro.; **3** Carla non lavora in Austria.; **4** Carlo e Stefania studiano (le) lingue.; **5** (Noi) Non siamo di origine francese.; **6** (Io) Non parlo l'olandese.

11 No, sono argentino, ma **parlo l'italiano perché abito in Italia.**; **Usa lo spagnolo per lavoro?**; Io sono di origine italiana, ma **desidero perfezionare il mio italiano.**; Parlo il francese, perché **ho un'amica di Parigi**.

12 ● E voi dove **abitate?** A Genova?
■ **No, lavoriamo** a Genova, ma abitiamo a Santa **Margherita**

Ligure. E Lei, **dove abita**?
● Io abito **e** lavoro **a** Genova.
▸ Ah, e che lavoro fa?
● **Sono rappresentante**.
▸ Ah, allora **viaggia molto** per lavoro.
● Sì, lavoro **anche** in **Germania**, in Austria e un po' in Spagna.
■ Ah**, interessante**! E parla **il tedesco**?
● No, non parlo il tedesco, **parlo un po' lo** spagnolo. Ma per **lavoro** uso l'inglese. Ma... **non** ci siamo ancora presentati, sono **Giada** Ghini.
▸ Piacere, Alice Rossetti.
■ E io sono Luca Rossetti.

## Lezione 3

1 **orizzontali: 2** vino; **4** minerale; **6** spremuta; **7** latte
**verticali: 1** cornetto; **3** caffè; **5** birra

2 **1** e; **2** b; **3** d; **4** c; **5** a

3 **il**: il caffè, il cappuccino, il panino, il tè, il toast, il vino, il tramezzino, il latte; **lo**: lo spumante; **la**: la piadina, la spremuta d'arancia, la birra; **l'**: l'aranciata, l'aperitivo, l'amaro, l'acqua minerale

4 Oggi offro io. Oggi offre la signora Sala. Oggi prendo un panino e un caffè. Oggi prendo un toast e una birra. Oggi prende un panino e un caffè. Oggi prende un toast e una birra.
Che cosa prendo? Che cosa prendi tu? Che cosa prendi, Paola? Che cosa prende, signora Sala?
La prossima volta offro io. La prossima volta offri tu. La prossima volta offre Paola. La prossima volta prendo un panino e un caffè. La prossima volta prendo un toast e una birra.

5 **1** acqua minerale; **2** cornetto; **3** aranciata

6 [...]
● **Tu che cosa prendi? Oggi offro io!**
▸ **Oh, grazie! Ehm... Un cappuccino e un cornetto, per favore.**
● **E per me un caffè... macchiato.**
▸ **La prossima volta, però...**
● **La prossima volta offri tu, va bene.**
■ **Il macchiato, caldo o freddo?**
● Caldo.
■ **Allora, ecco il cappuccino con il cornetto... e questo è il macchiato.**
● **Vorrei pagare subito. Quant'è?**
[...]

7 **1** decaffeinato/amaro;
**2** naturale/frizzante;
**3** calda/piccola/grande;
**4** calda/grande/piccola/dolce, analcolico

8

| | |
|---|---|
| **il** giovane | **i** giovan**i** |
| **l'**italian**o** | **gli** italian**i** |
| **l'**aranciata | le aranciat**e** |

| | |
|---|---|
| **la** ragazz**a** | **le** ragazz**e** |
| **l'**aperitiv**o** | **gli** aperitiv**i** |
| **lo** yogurt | **gli** yogurt |
| **il** caffè | i caff**è** |
| **lo** spumant**e** | **gli** spumant**i** |

9 1 Che cosa mangi a colazione?; **2** Mangio fette biscottate con burro e marmellata.; **3** Io preferisco lo yogurt con i cereali.; **4** A colazione Carla beve solo un caffè amaro.; **5** Mangiamo una piadina calda, ma non beviamo niente.; **6** Preferisce il cono con o senza panna?; **7** Quant'è? Vorrei pagare subito./ Vorrei pagare subito. Quant'è?

10 **1** Lei che cosa prende?; **2** Preferisce un panino o una pizzetta?; **3** Beve un aperitivo?; **4** Non mangia niente? **5** Fa colazione al bar?

11 biscotti, burro, cereali, cornetto, fette biscottate, focaccia, latte, marmellata, miele, pancetta, pane, tè, uova, yogurt

12 **orizzontali: 4** preferiscono; **7** offrono; **8** preferiamo; **11** prende; **12** bevete; **13** prendete; **15** bevono; **17** preferite; **18** offri; **19** preferisce
**verticali: 1** beviamo; **2** preferisco; **3** offriamo; **5** bevo; **6** beve; **7** offre; **8** prendi; **9** offrite; **10** prendo; **11** preferisci; **14** bevi; **16** offro; **17** prendono; **19** prendiamo

13 ■ Buongiorno. **Mi dica.**
● Buongiorno. Allora: due **caffè**, due **spremute** d'**arancia**, due tramezzini, una **birra piccola**, **un** toast e due coni.
■ I coni con o **senza panna**?
● Mm... Con la panna.
■ Allora **sono diciassette** euro e **ottanta**.
● **Ecco a Lei**.
■ Grazie. Eh, scusi... **Lo scontrino**!
● Ah ... Grazie!

## Lezione 4

1 sette e quaranta/7.40/19.40; venti e quindici/20.15; sedici e venticinque/16.25; otto meno un quarto/ 7.45/19.45; mezzogiorno/12.00; undici e trenta/11.30/23.30; quattro e tre quarti/4.45/16.45

2 Maurizio e Lucia... **1** si svegliano e si alzano alle sei; **2** fanno colazione con caffè e biscotti alle sette meno un quarto; **3** vanno in ufficio alle sette e trenta.; **4** cominciano a lavorare alle otto.; **5** fanno una pausa e bevono un cappuccino alle dieci.; **6** mangiano in un bar alle tredici.; **7** finiscono di lavorare alle diciassette.; **8** preparano la cena o vanno in un locale alle diciannove.; **9** guardano la tv alle ventuno.; **10** vanno a dormire alle ventitré.

3 **orizzontali: 4** mezzogiorno; **5** sabato; **6** mercoledì; **9** giovedì; **10** venerdì; **11** presto
**verticali: 1** di notte; **2** domenica; **3** martedì; **7** lunedì; **8** di giorno

4 **1** Lavori sempre, anche il sabato e la domenica?; **2** A che ora vai a lavorare di solito?; **3** La mattina mi

sveglio spesso verso le sei/La mattina spesso mi sveglio verso le sei.; **4** Marta qualche volta va in ufficio anche la domenica./Marta va in ufficio qualche volta anche la domenica.; **5** La sera non guardo mai la tv.; **6** Lucia lavora dal lunedì al venerdì dalle 9.30 alle 18.30.

5 Carlotta va a ballare/a casa. Io vado a ballare/a casa. Noi andiamo a una festa. Giorgio e Sandra vanno in un bar. Voi andate al lavoro/al bar/al cinema. Tu vai al lavoro/al bar/al cinema.

6 USCIAMO; GIOCATE; ESCE; GIOCHI; MI ALZO; GIOCHIAMO; **Soluzione**: USCITE

7 **2** Le piace andare al cinema il fine settimana.; **3** Non mi piace andare all'opera.; **4** Le piace passare la serata con gli amici?; **5** Ti piace leggere il giornale a colazione?; **6** Gli piace guardare la tv la sera.

8 **1** uscire, fuori; **2** Qualche, restiamo; **3** per, la; **4** La, non, mi; **5** restare, libro

9 a; di; alle; da; dalle; alle; D'/In; con; a; in; a; al; in; a; a

10 **1** Che cosa fai/fa il fine settimana?; **2** Che cosa ti/Le piace fare?; **3** Hai/ Ha un solo giorno libero?; **4** Che ore sono?/Che ora è?; **5** Come cominci/comincia la giornata?; **6** A che ora vai/va a lavorare?

11 **1** No, non mi piace ballare.; **2** No, non vado spesso al cinema.; **3** No, la domenica non faccio (mai) una passeggiata con gli amici.; **4** No, non esco solo il fine settimana.; **5** No, non mi sveglio alle sei.

12 **orizzontali: 1** avete; **6** hanno; **9** giocate; **11** abbiamo; **13** esci; **15** siamo; **16** andiamo; **18** giochiamo; **20** siete; **21** vai; **22** esce
**verticali: 2** vado; **3** esco; **4** vanno; **5** giochi; **7** giocano; **8** va; **9** gioca; **10** escono; **12** gioco; **14** sono; **17** andate; **19** uscite

13
■ Oh, mi scusi!
▶ Scusi, scusi Lei!
■ Ma... noi **ci conosciamo**? Tu sei Paola, no? Sabato ... **alla festa**?
▶ Sabato... Ah,sì, è **vero**! **Adesso** mi ricordo! E tu invece ti chiami...?
■ Pietro.
▶ Ah sì, Pietro. Pietro, come va? **Cosa fai** di bello **qua**?
■ Va bene, grazie, non c'è male. Adesso **vado a lavorare**. Prima, però, prendo un caffè, tanto è **qui vicino**.
▶ **Vai a** lavorare **anche oggi**? Ma è sabato!
■ Eh sai, io **a volte** lavoro anche **il sabato**. Mi **succede** di lavorare anche la **domenica**...
▶ Ah! Ma **che lavoro fai**, scusa?
■ Eh... Indovina un po'?

## Lezione 5

1 prenotare, per, prossimo; quando; quante; possibile; posto, dentro; Vorrei; che; Lei

2 **1** c; **2** a/c/d/e; **3** a/c/e; **4** b; **5** d/e

3 **orizzontali: 2** dritto; **5** sinistra; **6** semaforo; **7** partenza; **9** fino
**verticali: 1** incrocio; **2** destra; **3** piantina; **4** fermata; **8** esci

4 **1** chiedere, prego, dov'è, lo, dispiace; **2** prendere, Che, non c'è di che

5 **a sapere:** *so*, *sai*, *sa*, sappiamo, sapete, sanno
**potere:** posso, *puoi*, *può*, possiamo, potete, possono
**b 1** sa; **2** può; **3** so; **4** possiamo; **5** Puoi; **6** possono; **7** posso/possiamo; **8** sapete

6 **1** scusi; dritto, destra, strada, sinistra
**2** dritto, destra, continua, alla; Posso

7
- ● Cooperativa "**Il sogno**", buongiorno.
- ■ Buongiorno. Senta, **io vorrei prenotare** un tavolo. **È possibile**?
- ● **Per quando**, scusi?
- ■ Eh, venerdì prossimo, **se** c'è **posto**.
- ● Venerdì prossimo... **Per quante persone**?
- ■ Per due.
- ● Ah, allora sì, è possibile.
- ■ Oh, **benissimo**! Perfetto.
- ● Scusi, la **prenotazione**... **A che** nome?
- ■ Roncalli.
- ● Roncalli. Va bene, grazie.
- ■ **Grazie a Lei**. Arrivederci.
- ● Arrivederci.

8 bistecca; patatine fritte; pollo; insalata; spinaci; minestra; salamini; ravioli; radicchio

9 **1** bianco; **2** la carne; **3** frizzante; **4** a piedi; **5** a sinistra

10 **2** A Chiara **non piace** la verdura. – A Fabio **invece sì.**; **3** A Luca e Valentina **non piacciono** le olive. – **Neanche a** Chiara.; **4** A Fabio **piacciono** i dolci. – **Anche** a Chiara.; **5** A Chiara **non piacciono** le olive. – A Fabio **invece sì.**; **6** A Luca e Valentina piace la verdura. – A Chiara **invece no.**

11 **Ambiente:** tranquillo, semplice, elegante, particolare;
**Prezzo:** conveniente, caro;
**Personale:** rapido, cortese;
**Locale:** tranquillo, semplice, elegante, particolare, caro, conveniente, vicino;
**Servizio:** rapido, semplice, cortese

12 **1** per; **2** a, dalle, di, a; **3** Per; **4** dalla, a, con; **5** in; **6** Da, di; **7** Di; **8** in, a

13 **orizzontali: 1** beve; **4** hanno; **6** sei; **7** prendono; **8** possiamo; **9** abitate; **10** offre
**verticali: 2** esco; **3** faccio; **5** stanno; **6** sappiamo

14 1 ● Scusi! **Le posso chiedere** un'informazione?
■ Sì, prego.
● Senta, **sa** dov'è **la fermata** del tram?
■ La fermata del tram? No, **non lo so**. Mi **dispiace**.
● Ah... **Grazie lo stesso**.
■ Di niente.

2 ● **Scusi**. Piazza **di** Porta Maggiore **è lontana**?
■ Beh**, a piedi** sì, un po'. Però può **prendere** l'**autobus numero 3**.
● Ah sì? **Dove**, scusi?
■ La **fermata è là**, vede?
● Ah, sì. È vero. Beh, **allora prendo** l'**autobus**, grazie mille.
■ Prego, **non c'è di che.**

## Lezione 6

1 **Gentile** dott. Paolini, **il** seminario **è** stato molto util**e**. **La** mia presentazione **è** andata bene e **ho** ascoltato anche **la/le** presentazion**e/i di** due colleghe. **Ho** conosciuto nuovi collegh**i** e **ho** ricevuto informazioni **utili**. Non **ho** avuto un attimo **di** tempo libero, ma **ho** passato un fine settimana interessant**e**. **Cordiali** saluti

2 **1** c/d; **2** d; **3** b; **4** e/f; **5** a/e/f; **6** b/e

3 **ato:** visitare, pranzare, passare, andare; **uto:** ricevere, avere**; ito:** sentire, uscire, dormire, preferire

4 Francesca e Alberto... **1** la mattina hanno fatto sport./ vero; **2** non sono andati fuori a pranzo./falso; **3** il pomeriggio hanno letto un libro./vero; **4** hanno ascoltato un CD./vero; **5** la sera non sono andati al cinema./falso; **6** sono andati in discoteca./falso

5 è uscita; ha portato; Ha cominciato; è andata; ha mangiato; è tornata; ha incontrato; ha ricevuto; Ha lavorato; è andata; ha preferito; ha telefonato; ha parlato

6 **1** due mesi fa, il primo gennaio, la settimana scorsa, ieri, oggi
**2** la mattina, all'ora di pranzo, alle ore 14 e 35, alle sei di sera, a mezzanotte

7 **orizzontali: 2** uscito; **6** visto; **10** avuto; **11** ricevuto; **13** letto; **14** andato; **15** scritto
**verticali: 1** passato; **3** conosciuto; **4** fatto; **5** piaciuto; **7** sentito; **8** lavorato; **9** preso; **12** stato; **16** incontrato

8 va; sto; lavoro; sono; sono andata; piace; è piaciuta; sono stata; È andata; hanno preparato; ha portato; ha fatto; ho comprato; Abbiamo ascoltato; abbiamo ballato; ha ricevuto; è piaciuta; Hai scritto

9 **2** A Carla non **è piaciuta** la sorpresa. – A Sergio **invece sì.**; **3** A Giulia e Marco **sono piaciute** le decorazioni. – **Anche** a Carla.; **4** A Sergio **non sono piaciuti** i pasticcini. – **Neanche** a Carla.; **5** A Carla **sono piaciute** le decorazioni. – A Sergio **invece no.**; **6** A Giulia e Marco **è piaciuta** la sorpresa. – A Carla **invece no**.

10 **1** felicitazioni vivissime e un augurio affettuoso per il futuro; **2** congratulazioni al neodottore; **3** tanti auguri; **4** buone feste.

11 Trenta giorni ha n**ovembre**, con a**prile**, **giugno** e s**ettembre**. Di ventotto ce n'è uno: tutti gli altri ne han trentuno!
Febbraio ha 28 giorni. Gennaio, marzo, maggio, luglio, agosto, ottobre e dicembre hanno 31 giorni.

12 **2** S. Valentino è il 14 febbraio. **3** La Befana è il 6 gennaio. **4** Natale è il 25 dicembre.

13
- ● Pronto?
- ■ Vale, ciao amore, sono io.
- ● Ah, ciao! Allora? Com'è andata oggi?
- ■ Guarda, senti, come puoi immaginare, come al solito una noia mortale.
- ● Davvero? Ma come, scusa, non hai fatto la presentazione?
- ■ Ma sì, sì, la presentazione è andata benissimo. È stata un successone! Sai, questi seminari ormai, uff, guarda, quello di oggi non mi è piaciuto veramente per niente.
- ● Senti un po', piuttosto, ieri sera ti ho chiamato al cellulare, ma non hai risposto...
- ■ Beh sai, sono andato al cinema...

## Lezione 7

1 **orizzontali: 5** cucinare; **6** Suono; **7** carte; **8** andiamo; **9** nuotare **verticali: 1** correre; **2** gioca; **3** dipingere; **4** palestra

2 Io **posso** lavorare in giardino solo il fine settimana, perché ho tempo.; Angela e io **sappiamo** cucinare bene la carne, ma non il pesce.; Giorgio e Sandra **sanno** correre anche per 10 Km.; Voi non **potete** andare a piedi in Piazza Carducci: è molto lontana.; Lorenzo, **puoi** ricevere sms anche qui?

3 **1** falso; **2** falso; **3** vero; **4** falso; **5** vero; **6** vero

4 Pietro e io giochiamo a calcio una volta all'anno.; Cecilia va in palestra ogni domenica.; Raffaella e Claudio giocano a carte due volte al mese.

5 tempo libero; ortaggi; passione; 2008; maschi e femmine; prati-

cato; i 24 e i 34 anni; Friuli Venezia Giulia; Mezzogiorno; qualità; giorno; terrazzo

6 **1** I limoni sono gialli come le **banane.**; **2** Lo zucchero è bianco come il **sale.**; **3** I pomodori sono rossi come **il radicchio.**; **4** Le arance sono arancioni come **le carote.**; **5** L'olio è verde come **le zucchine.**; **6** I mirtilli sono blu come **le prugne.**; **7** L'insalata è verde come **i piselli**; **8** I peperoni sono gialli, rossi e verdi.

7 **1** rilassante; **2** sportivo; **3** buone; **4** stagionato; **5** freschi; **6** saporita; **7** individuale

8 *Carlo compra un vasetto di marmellata*, due chili di patate, un chilo e mezzo di pomodori, mezzo litro di latte e due lattine di birra. Silvia compra tre etti di prosciutto, tre pacchi di spaghetti, due etti e mezzo di burro e un vasetto di miele.
Marco compra sei uova, due etti di mortadella, un pacco di sale e tre scatolette di tonno.

9 **Al mercato**: delle uova, delle olive, dei limoni, dei funghi;
**In panetteria**: dei panini, del pane, dei pasticcini, dei cornetti;
**In macelleria**: del salame, della pancetta, della carne

10
- ○ Buongiorno, senta, voi fate dei tramezzini?
- ■ No, non li facciamo, ma abbiamo delle piadine. Ne vuole una?
- ○ Sì, la prendo con pomodoro e formaggio.
- ■ Ho anche della mortadella fresca e saporita.
- ○ Beh, allora prendo anche una piadina con la mortadella. Non la mangio quasi mai.
- ■ Ecco a Lei.

11 **2** Lo porta Teresa. **3** *No*, le porta Sandro. **4** No, la fa al cioccolato. **5** No, la organizza Cesare. **6** Le porta Davide.

12 **1** Quanto; **2** Quant'; **3** Quanta; **4** Quanti; **5** Quante; **6** Quanto, Quanti

13
- ● Ciao **a tutti**, sono Marina.
- ■ Ciao, Marina. Tu che cosa fai? Pratichi uno sport?
- ● Sì, ho iniziato **da poco** un corso **di** ballo latino-americano: lo faccio una volta **alla** settimana e mi piace molto perché **fa** bene **al** fisico, è divertente e posso **stare** in compagnia. E poi faccio un po' **di equitazione**, cioè faccio lunghe passeggiate **a** cavallo, non faccio gare.
- ■ Hai un cavallo?
- ● No, io no. È una mia amica che ha **dei** cavalli, io vado a trovarla due volte **al** mese e cavalco lì **da** lei.
- ■ Ah, bello! Grazie **per la** telefonata, Marina.
- ● Prego, ciao.

## Lezione 8

1 *una strada* silenziosa/vivace; *delle zanzare* enormi; *un quartiere* storico/delizioso/industriale/economico/vivace; *una zona* silenziosa/industriale/vivace; *un centro* storico/delizioso/industriale/vivace; *dei negozi* enormi/tranquilli/piccoli; *delle persone* rumorose/contente; *un supermercato* delizioso/economico; *delle piazze* enormi/rumorose; *un ristorante* storico/delizioso/economico; *dei giorni* tranquilli

2 uno stadio, lo stadio; degli stadi, gli stadi; una strada, la strada; delle strade, le strade; un ufficio postale, l'ufficio postale; degli uffici postali, gli uffici postali; un'edicola, l'edicola; delle edicole, le edicole

3 1, 6, 3, 5, 7, 4, 8, 2

4 **1** c'è; **2** è; **3** Non ci sono; **4** sono, Non ci sono; **5** Ci sono, c'è; **6** c'è, non c'è

5 **1** C'è un ospedale moderno.; **2** Ci sono delle chiese antiche.; **3** Ci sono dei teatri famosi.; **4** C'è un parcheggio economico.; **5** C'è una zona industriale.; **6** Ci sono dei ponti antichi.; **7** Ci sono dei quartieri tipici.

6 **1**
- ■ Scusi, mi **sa** dire dov'è l'hotel Roma?
- ■ Sì, Lei **segue** la strada, passa **davanti** all'ospedale, **continua** dritto e **dopo** il cinema gira **a sinistra**. L'hotel è proprio **dietro** il cinema.

**2**
- ■ Scusi, c'è anche un'edicola accanto **all'**hotel?
- ■ Sì, **di fronte/vicino** al cinema trova una piccola edicola.
- ■ Grazie mille.

7 **1** Io **vengo in** macchina.; **2** Tu **vieni nel** centro storico.; **3** Antonella **viene sul** ponte alle sei; **4** Noi non **veniamo al** lavoro oggi.; **5** Tu e Mara **venite alla** fermata dell'autobus.; **6** Silvia e Lucio **vengono a** piedi.

8 vuole; Vuoi; posso, Puoi; può; vuoi, posso, possono; vogliono; Vuoi

9 **stazione**: *tranquilla*, vivace, bella, rumorosa, grande, moderna, antica, silenziosa, brutta, piccola; **ponte**: bello, grande, moderno, antico, brutto, piccolo; **macchina**: bella, veloce, cara, rumorosa, grande, moderna, antica, economica, lenta, comoda, silenziosa, brutta, piccola

10 **1** b; **2** c; **3** a; **4** e; **5** d

11 **orizzontali: 2** *n*oleggiato; **6** raggiunge
**verticali: 1** *v*olta*r*e; **3** facciamo; **4** *o*ltrepassare; **5** prendere; **7** girato

12 ■ Beh, allora, se proprio non la conosci, devi vedere prima **di tutto** la zona intorno **a** casa mia perché **ci sono** diversi posti estremamente belli e interessanti: il Castello Estense con le prigioni, per esempio; e poi la cattedrale, **tutte le** piazze intorno **alla** cattedrale... E poi ci sono palazzi antichi molto belli, musei estremamente interessanti...
**Non** so, il museo del Risorgimento e della Resistenza, il Palazzo dei Diamanti.
■ Mah, mi sembra molto interessante.
■ E naturalmente, oltre a visitare il centro, dobbiamo fare anche un giro delle mura, **a** piedi o **in** bici.
■ E mamma mia, queste mura quanto sono lunghe?
■ Nove chilometri, perché?
■ Nove chilometri?! Non mi sembra una domanda strana. Già mi proponi il giro della città, poi dobbiamo fare anche nove chilometri... Tu **lo sai**, Fabrizio, io non amo molto camminare, anche andare in bicicletta. Ma non **c'è** un altro modo **un po'** più comodo **per** vedere tutte queste cose?
■ No. Non c'è. Ma **è** molto bello, sai? Io adesso sono proprio qui, **sulle** mura, e sono venuto in bicicletta!

S

## Lezione 9

1 **il giardino è** fresco, tranquillo, piccolo, bello; **i vicini sono** rumorosi, anziani, tranquilli, antipatici, silenziosi, belli, divertenti; **la festa è** rumorosa, tranquilla, bella, divertente; **le persone sono** rumorose, anziane, tranquille, giovani, antipatiche, silenziose, belle, divertenti

2 *Il cameriere porta la mia spremuta, i miei cornetti*, il tuo tè, il tuo tramezzino, il suo aperitivo, le sue olive, la nostra acqua minerale, i nostri (due) panini, i vostri (due) bicchieri di vino, le vostre (due) piadine, la loro birra e i loro (due) toast.

3 **1** Lei è snella.; **2** Lei è bionda e porta gli occhiali.; **3** Lui ha i capelli neri.; **4** Lei ha i capelli lunghi.

4 **orizzontali: 4** castani; **6** moro; **7** snella; **10** antipatico
**verticali: 1** biondi; **2** magra; **3** grasso; **5** giovane; **8** basso; **9** piacevole

5 in alto, al centro: Luciano, Dora; a a sinistra: Lucia e *Fabrizio*; sotto, a sinistra: Carlotta; a destra: Gabriella e Davide; sotto, a destra: Fabio e Marcello

**6**

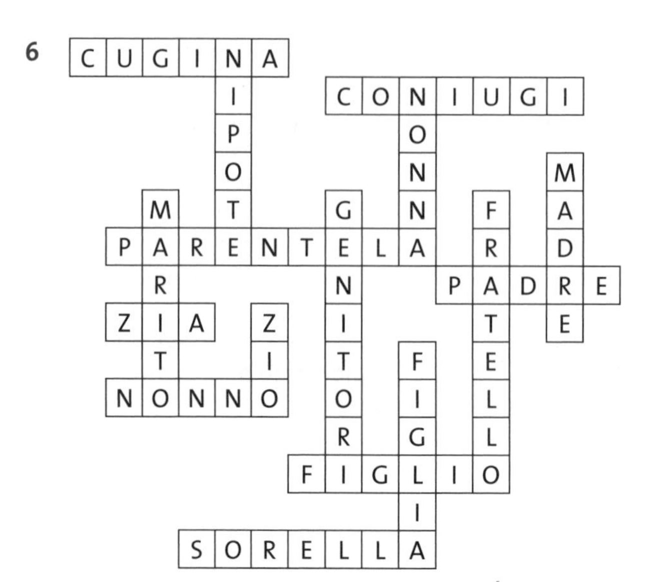


**7** quelle; queste; questa; quella; quelli; questa

**8** il tuo amico; mio nipote; mia zia; la mia casa; le sue cugine; i suoi amici

**9**
- ● Quell**i** sono **gli** zii di Paola e Alessandra?
- ■ No, sono **i suoi** nonni.
- ● Quell**a** è la sorella di Elisa?
- ■ Sì, è **sua** sorella e **quello** è **suo** marito.
- ● Quell**i** sono **i** tuoi genitori?
- ■ Sì, quell**a** a destra è **mia** madre, ma quell**o** a sinistra non è **mio** padre, è **suo** fratello... beh... **mio** zio!

**10** **1** Sono a destra.; **2** È a sinistra.; **3** È vicino alla porta.; **4** È tra la porta e la finestra.; **5** È dietro la casa.

**11**
- ▶ **Che carini questi** ragazzini! Sono i tuoi nipoti?
- ● Sì, **sono i figli di** mia sorella. Lì c'è anche **una foto di gruppo**, la vedi?
- ▶ Sì.
- ● Ecco, **lì dietro** mio nipote **c'è appunto** mia sorella. **E poi ci sono anche** i nonni, che sono orgogliosissimi dei loro nipoti naturalmente.
- ▶ Ah, **questi sono i tuoi**...
- ● Sì...
- ▶ Tua madre **ti assomiglia molto**. Tuo padre **invece no**.
- ● Sì, lo dicono tutti...
- ▶ E **questo ragazzo moro** chi è? Tuo fratello o tuo cognato?
- ● Quello è il marito di mia sorella. Mio fratello **è in**

**un'altra foto** con i bambini...
Ecco, guarda: Chiara e
Francesco **con il** loro zio,
gli sono molto affezionati.

▶ Ah, bella! E lui **ha famiglia**?
● No. **Non è sposato**, vive **con la sua ragazza**.

## Lezione 10

1 in; Da; a; nel; dal; al; con; fino a; del; a; in; fra; fra; sulla; di; del

2 
**Primavera:** marzo, aprile, maggio, giugno;

**Estate:** giugno, luglio, agosto, settembre;

**Autunno:** settembre, ottobre, novembre, dicembre;

**Inverno:** dicembre, gennaio, febbraio, marzo

3 678 + 362 = 1040/millequaranta;
137 + 263 = 400/quattrocento;
581 + 319 = 900/novecento;
721 + 85 = 806/ottocentosei;
856 + 44 = 900/novecento

4 **1** *b*/Si possono portare gli animali?; **2** e/L'albergo ha un centro benessere?; **3** a/Si può avere la mezza pensione?/La mezza pensione si può avere?; **4** Quanto viene la camera?/La camera quanto viene?; **5** c/Nell'hotel c'è unparcheggio?/C'è un parcheggio nell'hotel?

5 **1** prepara; **2** ascoltano; **3** gioca; **4** scrivono; **5** leggono; **6** fanno; **7** scopre; **8** parla

6 **orizzontali: 2** può; **4** vogliono; **5** devi; **6** deve; **8** possiamo; **11** devono
**verticali: 1** vuoi; **3** potete; **6** devo; **7** dovete; **9** dobbiamo; **10** voglio

7 **1** due; **2** piove, cinque; **3** c'è la nebbia, quattro; **4** c'è il sole, quattordici; **5** c'è vento, tredici

8 *Cara Caterina, sono all'Alpe di Siusi da giovedì a domenica. Ieri* ha nevicato e sono restata in albergo. *Oggi* c'è il sole, fa caldo e faccio un'escursione al Monte Scilliar. *Tanti saluti Francesca*

9 **2** in/Ci vado lunedì alle 16.00.; **3** al/Ci vado venerdì alle 10.00.; **4** in/Ci vado domenica alle 14.00.; **5** alla/Ci vado sabato alle 21.00.; **6** Ci vado mercoledì alle 20.00.

10 **1** Sei mai andato/Sei mai stato/Hai mai mangiato; **2** Sei mai stato/Sei mai andato/Hai mai partecipato; **3** Hai mai fatto; **4** Hai mai girato; **5** Sei mai stato/Sei mai andato/Hai mai abitato; **6** Hai mai suonato; **7** Hai mai mangiato/Hai mai assaggiato

11
■ Chalet Caminetto, buongiorno.
● Buongiorno. Senta, **io vorrei prenotare una camera doppia** per un fine settimana, **da venerdì a domenica**.
■ Sì, e quando esattamente?
● Allora, o a fine gennaio, **dal 23 al 25**, oppure dal 13 al 15 febbraio. **È possibile**?
■ Dunque, in gennaio purtroppo no, mi dispiace: dal 13 al 15 febbraio invece sì.
● Va bene, **allora facciamo** febbraio. E **quanto viene la camera**?
■ 70 euro a persona.
● **La prima colazione è compresa**?
■ Sì, certo.
● Ok. Senta, **l'albergo è vicino** alle piste da sci?
■ Siamo a 100 metri dalle piste, signora.
● Benissimo. E per arrivare a Trento **si deve usare la macchina**?
■ Beh, **si può usare** la macchina, ma non è necessario perché **c'è un servizio bus** per Trento molto comodo.
● Ed **è compreso** nel prezzo?
■ Beh, dipende...

# Appunti

# Indice delle fonti

**Copertina:** © irisblende.de | **Pagina 7:** Foto: © MHV/Koop | **Pagina 11:** Foto: © MHV/Kiermeir
**Pagina 53/54:** testo: adattato da New Coldiretti, n. 34, 16.01.2009 - www.coldiretti.it
**Pagina 70:** foto: © digitalstock | **Pagina 76:** foto © Cinzia Cordera Alberti

## Contenuto del CD audio

Il CD audio allegato contiene tutte le registrazioni relative alla sezione *Ancora più ascolto*.
Durata complessiva: 25'35".